Auteures

Aurore Jarlang
Morgane Pellé
Amandine Quétel
Julie Uny
Raphaële Fouillet (Grammaire)
Araceli Rodríguez Tomp (Phonétique)
Hélène Todorovic (DNL)

Livre de l'élève

www.emdl.fr/fle

AVANT-PROPOS

À la une est une méthode de français langue étrangère. Cette collection est le fruit du travail d'une équipe d'auteurs, enseignants et formateurs aux expériences professionnelles variées et bien conscients de ce que sont les réalités d'enseignement avec des adolescents. Cette équipe s'est investie énormément dans la création de cette méthode et s'est tout particulièrement attachée à proposer une méthode qui permet un enseignement dynamique grâce à une grande implication des élèves.

À la une en quelques mots :

- Un concept attrayant : la méthode est construite autour de **huit adolescents** issus de différentes villes francophones, auxquels les élèves peuvent facilement s'identifier : Paris, Nantes, Genève, Montréal, La Réunion, Bordeaux, Lyon et Toulouse.
- Des **leçons et des activités courtes**, parfaitement adaptées à de jeunes adolescents et à la réalité des enseignants
- Des **apports linguistiques progressifs** tout au long de la méthode et synthétisés de façon claire et visuelle dans les pages ***Grammaire*** et ***Carte mentale***
- **Des activités accessibles et des jeux** pour favoriser l'implication des élèves, susciter les interactions au sein de la classe et placer les élèves en situation de réussite
- Des documents aux supports variés (texte, audio, vidéo) et choisis en fonction des centres d'intérêts des adolescents d'aujourd'hui
- **Une découverte culturelle** du monde francophone, de ses habitants et de leur vie quotidienne ainsi qu'une sensibilisation aux valeurs citoyennes
- De nombreux éléments pour initier une **réflexion interculturelle** : une mise en parallèle d'éléments culturels francophones avec la culture des élèves
- Des stratégies pour mieux apprendre le français

Toute l'équipe de cette collection espère vivement que la collection vous plaira et fera naître de nombreux échanges enthousiastes dans vos salles de classe !

Excellente année avec **À la une** !

Cet ouvrage est basé sur l'approche didactique et méthodologique mise en place par les auteurs de *Reporteros* : Virgine Auberger Stucklé, Sandrine Debras, Rachel Guemes-Rennié, Delphine Rouchy, Gwenaëlle Rousselet, et Sylvie Baudequin.

Révision pédagogique : Agustín Garmendia et Núria Murillo
Édition : Diakha Siby, Núria Murillo et Simon Malesan
Conception graphique : pica.agency, Laurianne López (couverture)
Mise en page : pica.agency, Ana Varela García, Giovanni Roncador, Enric Rújula, Javier Carrascosa
Illustrations : Alejandro Milà et Laurianne López (p. 15, 31, 47, 63, 79, 95, 110, 126)
Photographies des adolescents : García Ortega
Relecture et correction : Sarah Billecocq, Martine Chen et Laure Dupont

CRÉDITS
CRÉDITS PHOTOGRAPHIQUES

Couverture : García Ortega
Unité 0 p. 10 Difusión, p. 11 Kovalenkov Petr/Dreamstime, p. 12 Andreas 06/Wikipedia, Ytoyoda/Wikipedia, Christian Bertrand/Dreamstime, SieBot/Wikipedia, Teeranat Ngoenvivatkul/Dreamstime, Simon Ackerman/Wikipedia, Typhoonski/Dreamstime, Tony Barson/Getty, Flickr upload bot/Wikipedia, p. 13 Carnaval de Québec, Croix-Rouge Suisse, Air France, Photograph courtesy of the Museum für Gestaltung Zürich (Poster Collection, ZHdK) **Unité 1** p. 14 aterrom/Fotolia, Tyler Fairbank, p. 15 Difusión, p. 16 Difusión, p. 17 Ukususha/iStock, Hypsoline/Wiki Stranger Things, Irmun/iStock, p. 18 PicturePartners/iStock, Dudek1337/Wikipedia, masterzphotois/iStock, Floortje/iStock, p. 19 Edwardgerges/Dreamstime, p. 20 Paul Hakimata/Dreamstime, p. 21 Steve Debenport/iStock, Vitalssss/Dreamstime, Elena Koleva/Dreamstime, Kalinin Dmitrii/Dreamstime, p. 23 Gary Cooper/Dreamstime, Zeljko Dangubic/Dreamstime, Auremar/Dreamstime, p. 26 Yorgy67/Dreamstime, Pixattitude/Dreamstime, Blek le Rat, Paris (2005) © Sybille Prou, LPLT/Wikipedia, Difusión, p. 27 Difusión, Jorge Garrido/Alamy, Difusión, Yorgy67/Dreamstime, Vitalyedush/Dreamstime, Timehacker/Dreamstime, Dennis Dolkens/Dreamstime, p. 28 drbimages/iStock, L.Bouvier/Fotolia, Elena Koleva/Dreamstime, Alexstar/Dreamstime, p. 29 Wolf139/Dreamstime, anna42f/iStock **Unité 2** p. 30 France Télévisions, Inglebert Valery/Dreamstime, Difusión, p. 31 Grublee /Dreamstime, Difusión, p. 32 Yobro10/

iStock, Fa, Camera/iStock, Narimbur/Dreamstime, curtoicurto/iStock, p. 33 Bertrand Rindoff Petroff/Getty, Jo Hale/Getty, Patrick Kovarik/Getty, John Peters/Getty, Faustinepoidevin/Wikipedia, Agwilson13/Wikipedia, p. 34 Fotolia/tibo88, p. 35 aquaphoto/Fotolia, Jastrow/Wikipedia, aquaphoto/Fotolia, loliputa/iStock p. 36 utkamandarinka/iStock, A. Zeitler/Fotolia, Willeecole/Dreamstime, Suphatthra China/Dreamstime, Photographerlondon/Dreamstime, Abramova_Kseniya/iStock, GlobalP/iStock, p. 37 Difusión, Snicol24/Dreamstime, Ralf Broskvar/Dreamstime, Richard Cantin/Dreamstime, Maratr/Dreamstime, Irishka777/Dreamstime, Yolanda Van Niekerk/Dreamstime, p. 42 PJPhoto69/iStock, Quibik/Wikipedia, Thomas Dutour/Dreamstime, p. 43 Difusión, p. 44 Rawpixel Ltd/iStock, Antonio Guillem/Dreamstime, DrAfter123/iStock, ipopba/iStock, p. 45 P. S. Burton/Wikipedia **Unité 3** p. 46 www.swissinfo.ch, bluejayphoto/iStock, Difusión, p. 47 Jagdiego/Dreamstime, p. 48 allekk/iStock, Damir Karan/iStock, KingWu/iStock, AleksandarGeorgiev/iStock, Farbregas_Hareluya/iStock, FilippoBacci/iStock, DavorLovincic/iStock, Mlenny/iStock, p. 49 encrier/iStock, Alex Potemkin/iStock, LeoPatrizi/iStock, Maica/iStock, mixetto/iStock, xavierarnau/iStock, Dimitrios Stefanidis/iStock, Pawel Talajkowski/Dreamstime, p. 50 JJ Georges/Wikipedia, Leonprimer/Wikipedia, JJ Georges/Wikipedia, Nehrams2020/Wikipedia, p. 51 utkamandarinka/iStock, p. 52 jaroon/iStock, amriphoto/iStock, s-cphoto/iStock, LauriPatterson/iStock, adventtr/iStock, Ljupco/iStock, SonerCdem/iStock p. 53 Nina Hilitukha/Dreamstime, Juanmonino/iStock, fotografixx/iStock, p. 59 Fabrice Coffrini/Getty, Difusión, Hai Huy Ton That/Dreamstime, p. 60 SasinParaksa/iStock, jeffbergen/iStock, Yanikap/Dreamstime, p. 61 Louis Henault/Dreamstime, Louise Rivard/Dreamstime, Thierry Caro/Wikipedia, Dmitry Chulov/Dreamstime **Unité 4** p. 62 Marc Bruxelle/Dreamstime, Move Movie, p. 63, Difusión, Rpianoshow/Dreamstime, Flair Images/Dreamstime, Roberto Maggioni/Dreamstime, JuliarStudio/iStock, popay/iStock, Nadzeya_Dzivakova/iStock p. 64 Rpianoshow/Dreamstime, Flair Images/Dreamstime, Roberto Maggioni/Dreamstime, Iofoto/Dreamstime, Flair Images/Dreamstime, Paul Simcock/Dreamstime, Iofoto/Dreamstime, Andrey Kiselev/Dreamstime, Corolanty/Dreamstime, Judith Dzierzawa/Dreamstime, p. 65 Mediatoon, p. 66 BeylaBalla/iStock, PARNTAWAN/iStock, Jfanchin/iStock, Yana Syrotina/Dreamstime, Kanstantsin Prymachuk/Dreamstime, bonetta/iStock, Jitalia17/iStock, Siraphol/Dreamstime, Floortje/iStock, bonetta/iStock, Dzha/Fotolia, dendong/iStock, Svetamart/Dreamstime, Pixbox77/Dreamstime, NAKphotos/iStock, FlamingPumpkin/iStock, Believe_In_Me/iStock, Andrej Antic/Dreamstime, Maria Mitrofanova/Dreamstime, 4FR/iStock, FabrikaCr/iStock, Tarzhanova/iStock, indigolotos/iStock, Mehmet Hilmi Barcin/iStock, p. 67 Bertrand Rindoff Petroff/Getty, Pascal Le Segretain/Getty, MICKE Sebastien/Getty, Pascal Le Segretain/Getty, JB Lacroix/Getty, p. 68 Empreinte Digitale, p. 69 IGN France - Webedia, Gage/Wikipedia, p. 71 Tarzhanova/iStock, Issaurinko/iStock, Elnur/Dreamstime, VladTeodor/iStock, Taesmileland/Dreamstime, bonetta/iStock, Vladimir Engel/Dreamstime, Marusea Turcu/Dreamstime, p. 74 Asclepias/Wikipedia, Maison d'édition La Pastèque, bakerjarvis/Fotolia, p. 75 Difusión, Yann PERRIER/Fotolia, Empreinte Digitale, p. 76 drbimages/iStock, p. 77 Wikiart **Unité 5** p. 78 VIA STORIA / Conseil Départemental 67, Infografick/iStock, p. 79 Difusión, p. 80 B.navez/Wikipedia, Mstyslav Chernov/Wikipedia, Vladone/iStock, Ministère de l'Éducation nationale, p. 83 FatCamera/iStock, kali9/iStock, B.navez/Wikipedia, monkeybusinessimages/iStock, Georgijevic/iStock, p. 84 monkeybusinessimages/iStock, waldru/iStock, SerrNovik/iStock, FatCamera/iStock, Steve Debenport/iStock, track5/iStock, RichLegg/iStock, rbv/iStock, barsik/iStock, karelnoppe/iStock, p. 85 Lestertairpolling/Dreamstime, Renaud Philippe/Dreamstime, Freeskyline/Dreamstime, Eugenesergeev/Dreamstime, mapodile/iStock, ClarkandCompany/iStock, Imgorthand/iStock, master1305/iStock, zeljkosantrac/iStock, Alina555/iStock, p. 90 Addicted04/Wikpedia, Simeon/iStock, Photogolfer/Dreamstime, Infografick/iStock, p. 91 Difusión, Gorfer/iStock, Freder/iStock, Dmitry_Chulov/iStock, MaFelipe/iStock, CapturlZ/iStock, p. 92 PeopleImages/iStock, FatCamera/iStock **Unité 6** p. 94 JENCZEK Anaëlle, Philip Bird/Dreamstime, p. 95 Difusión, p. 96 Onzeg/iStock, monkeybusinessimages/iStock, dejanaq/iStock, seb_ra/iStock, monkeybusinessimages/iStock, AshleyWiley/iStock, petrunjela/iStock, PeopleImages/iStock, Foxys_forest_manufacture/iStock, mixetto/iStock, svetikd/iStock, p. 97 Difusión, Ian Allenden/Dreamstime, Mary Katherine Wynn/Dreamstime, Suzanne Tucker/Dreamstime, p. 98 Sebastian Czapnik/Dreamstime, p. 99 Vladimir Galkin/Dreamstime, Kaspars Grinvalds/Dreamstime, Andrey Sergeyko/Dreamstime, Wave Break Media Ltd/Dreamstime, Sunheyy/Dreamstime, Jakub Gojda/Dreamstime, Wave Break Media Ltd/Dreamstime, Linda Morland/Dreamstime, Jennifer Pitiquen/Dreamstime, Stuart Monk/Dreamstime, Imgorthand/iStock, Remus Grigore/Dreamstime, highwaystarz/Fotolia, Yobro10/Dreamstime, Avila Llorente/Dreamstime, Leoba1/Dreamstime, p. 100 Algirdas/Dreamstime, mehaniq41/Fotolia, Oliwan/Wikipedia, Dimaberkut/Dreamstime, Michel BUZE/Wikipedia, Thesupermat/Wikipedia, p. 101 StarsStudio/iStock, Anna_Om/iStock, edelmar/iStock, p. 106 Larrousiney/Wikipedia, Tree4Two/iStock, horstgerlach/iStock, Fouque/iStock, p. 107 Difusión, Espace Darwin (Bordeaux), Cehagenmerak/Wikipedia, Tea/Dreamstime, p. 108 Bimserd/Dreamstime, José Lledó/Dreamstime, Sergiyn/Dreamstime, p. 109 furtseff/Fotolia, Lunja/Fotolia, vetkit/Fotolia, Tiler84/Fotolia, Thomas Söllner/Fotolia, molotok289/Fotolia, Dario Sabljak/Fotolia, tsirika/iStock, tarasov_vl/iStock **Unité 7** SergiyN/Adobe Stock, Difusión, denisgorelkin/Adobe Stock, Jacek Chabraszewski/Adobe Stock, spotmatikphoto/Adobe Stock, Maica/iStock, Jean-Pierre Dalbéra/Flickr, Matt Neale (UK)/Wikimedia, Jonathan Stutz/Adobe Stock, Joe-L/Adobe Stock, auremar/Adobe Stock, JackF/Adobe Stock, goodluz/Adobe Stock, guruXOX/Adobe Stock, Monkey Business/Adobe Stock, Tempura/iStock, FS-Stock/Adobe Stock, Gonedelyon/Wikimedia, Gpedro/Wikimedia, Adisa/Dreamstime, Igor Mojzes/Dreamstime, Stangot/Dreamstime, Mimagephotography/Dreamstime, Vladimir Fomin/Dreamstime.com, aleksandr makarenko/Dreamstime, Sergii Kolesnyk/Dreamstime, Wave Break Media Ltd/Dreamstime, giorgos245/Adobe Stock, Graphistar, andreusK/iStock, ungureanus/iStock, Floortje/iStock, Mickael Guyot/iStock, "Une organisation Ville de Lyon/graphisme Agence Corrida", eddygaleotti/Adobe Stock, Julien Viry/Dreamstime, Difusión, Julien Viry/Dreamstime, Scanrail/Adobe Stock, xavierarnau/iStock, kegfire/Adobe Stock, BRIAN_KINNEY/Adobe Stock, Javi Martin/Adobe Stock, Albeins/Wikimedia, Anna Pakutina/Adobe Stock, Ed/Adobe Stock, Hyacinthe Rigaud (1659-1743)/Wikimedia, Timor Espallargas/Wikimedia, SasinParaksa/iStock **Unité 8** Difusion, Phil_Good/Adobe Stock, Yann Tissot, denisgorelkin/Adobe Stock, vitapix/iStock, fizkes/iStock, MonicaNinker/iStock, 9nong/Adobe Stock, jesadaphorn/iStock, Khunaspix/Dreamstime, Rawlik/Dreamstime, Alberto Jorrin Rodriguez/Dreamstime, Anatoly Tiplyashin/Dreamstime, sunt/Adobe Stock, yvon52/iStock, DOME PIRS, Mike Peel www.mikepeel.net/Wikimedia, Difusion, VectorPocket/iStock, Marie Capitain/Adobe Stock, y.caradec/Flickr, Sergey Novikov/Dreamstime, New Africa/Adobe Stock, SasinParaksa/iStock, Ministère de l'Intérieur.

CRÉDITS DES DOCUMENTS AUTHENTIQUES

Unité 0 p. 13 Carnaval de Québec, Le fromage aliment national (Photograph courtesy of the Museum für Gestaltung Zürich - Poster Collection, ZHdK), Croix-Rouge Suisse, Air France **Unité 1** p. 14 *Bonjour Paris* (Tyler Fairbank), p. 26 *Le Mendiant*, Blek le Rat, Paris 2005 © Sybille Prou, **Unité 2** p. 30 *Midi en France* (France Télévisions), **Unité 3** p. 46 *Les quatre langues de la Suisse* (www.swissinfo.ch), **Unité 4** p. 62, Bande-annonce *Lou, journal infime* (Move Movie), p. 65 *Silex & the City* (Mediatoon), p. 68 *Les Grands* (Empreinte Digitale), 69 IGN France – Webedia, p. 74 Maison d'édition La Pastèque, **Unité 5** p. 78, *La journée d'un collégien* (VIA STORIA / Conseil Départemental 67), p. 80 *À chaque classe son emploi du temps* (Ministère de l'Éducation nationale, 2016), **Unité 6** p. 94 JENCZEK Anaëlle, p. 98 *Faire ses devoirs : quelle est l'heure idéale ?* (Care.com), p. 107 Espace Darwin (Bordeaux) **Unité 7** *Dites Oui à Lyon*, OUI. sncf, *Braderie Croix-Rousse Lyon*, Création Graphistar 2013 © Graphistar, *Fête des Lumières de Lyon 2017*, Une organisation Ville de Lyon/graphisme Agence Corrida **Unité 8** *À quoi ça sert de dormir ?* dans *1 Jour, 1 Question*, une coproduction Milan Presse et France Télévision, scénario d'Axel Planté-Bordeneuve, réalisation et dessins de Jacques Azam.

REMERCIEMENTS

Nous tenons à remercier tout particulièrement les personnes suivantes pour leur précieuse collaboration à la réalisation de ce manuel : Estelle Foullon, Virgine Karniewicz et Antonio Melero, qui par leur implication et partage d'expérience ont permis la réalisation de ce manuel. Merci à ceux qui ont contribué à cette publication, notamment : Delphine Rouchy, Anna, Florentin, Coline, Hadrien, Alissya, Edgar, Juliette et Aloÿs. Merci enfin à nos « voix ».

L'élève devra réaliser les activités écrites de ce manuel dans un cahier. En aucun cas, l'élève ne sera autorisé à écrire sur les pages de ce manuel.

ISBN édition internationale : 978-84-17260-86-6
ISBN édition hybride : 978-84-19236-75-3
Réimpression : décembre 2022
Imprimé dans l'UE

www.emdl.fr/fle

ZOOM SUR LES UNITÉS DE À LA UNE

La page d'ouverture

Une **carte** pour découvrir la **ville** du personnage central de l'unité. Ici, c'est Malo qui nous parle depuis Nantes !

Une **vidéo** authentique et moderne en lien avec la thématique de l'unité.

En route ! Des **activités** sur un chat et autour d'une vidéo pour entrer dans la thématique.

Le **sommaire**, pour connaître tes **projets** et les **objectifs communicationnels et culturels** de l'unité.

Les trois leçons

L'objectif de la leçon : que vas-tu **apprendre à dire ou à faire** en français ?

Des **activités variées** pour t'entraîner à **lire, écouter, écrire** et **parler** en français.

Astuce
Des stratégies pour **mieux apprendre** le français et pour **faire des liens** entre le français et les différentes langues que tu connais.

CI (Classe inversée) pour indiquer qu'il s'agit d'une rubrique qu'il faut lire avant de faire l'activité.

Le sais-tu ? Une **rubrique culturelle** pour en savoir plus sur un thème intéressant lié au sujet de l'unité.

Des **jeux** pour **apprendre en t'amusant** avec tes camarades.

Des **projets** qui font appel à ta créativité et à ton imagination pour **mettre en pratique ce que tu as appris** dans la leçon.

Des rubriques avec des **aides lexicales** et des **explications grammaticales**.

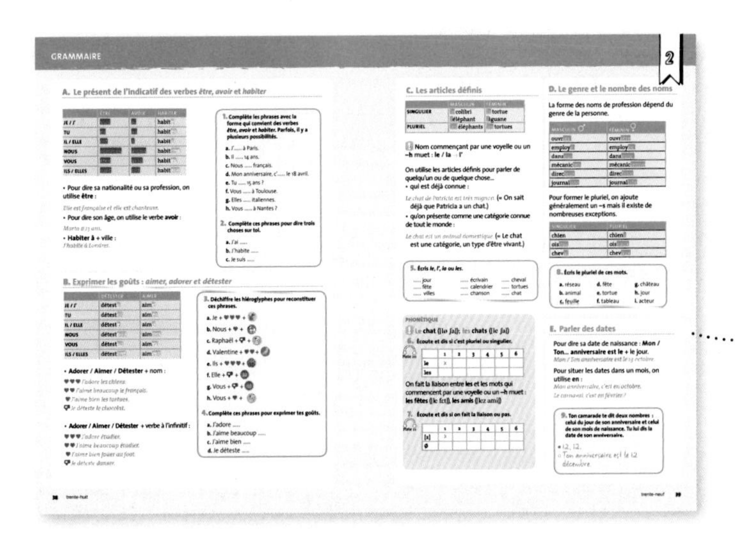

Les deux pages **Grammaire**

Des **explications détaillées** pour chaque point de grammaire de l'unité et des **activités** pour t'exercer.

Les deux pages **Ma carte mentale**

Une **carte mentale** pour visualiser tout le **vocabulaire** utile de l'unité avec des **exercices ludiques** pour t'aider à le mémoriser.

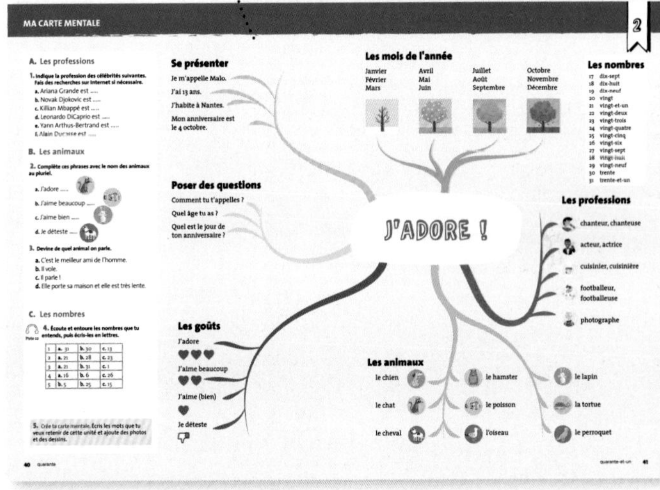

Les deux pages **Fenêtre sur**

Des **reportages** intéressants pour en savoir plus sur la ville ou la région du personnage de l'unité.

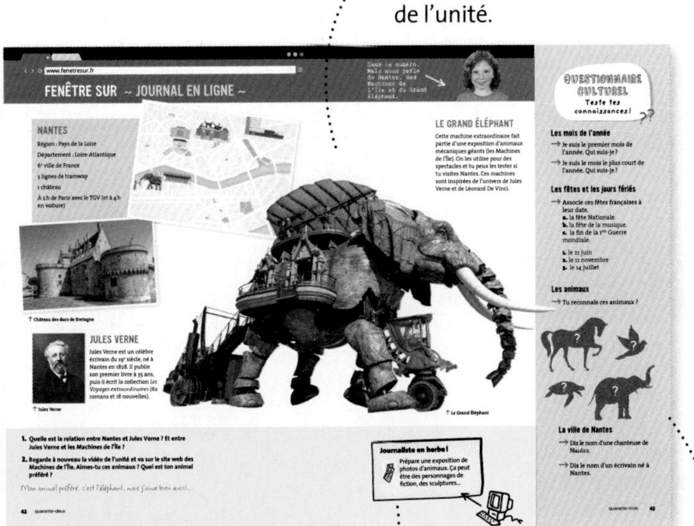

Journaliste en herbe ! Dans chaque unité, réalise un article, une vidéo, une interview... et construis peu à peu ton book de reporter !

Fais le point sur tout ce que tu as appris sur le monde francophone grâce à ce **quiz culturel** !

Une page **DNL**

Une page de **DNL (Discipline Non Linguistique)** pour une approche interdisciplinaire.

Une page pour **Le projet final**

Un **projet collectif final** permettant de mobiliser les compétences de l'unité.

DNL En classe de littérature

Jules Verne et les romans d'aventures

Tableau des contenus

OBJECTIFS GRAMMATICAUX ET PHONOLOGIQUES	OBJECTIFS LEXICAUX	OBJECTIFS CULTURELS
	• Les objets de la classe • Les mots de la politesse	Quelques éléments de la culture francophone
• Le verbe **s'appeler** • Le verbe **avoir** • L'interrogation (**Comment tu t'appelles ?, Quel âge tu as ?**) • **Tu** et **vous** **Phonétique :** Les sons [y], [u], [ɛ] et [ø]	• L'alphabet • Le nom et l'âge • Le langage de la classe (les consignes et les questions utiles) • Les nombres de 10 à 16 • Les salutations • Quelques endroits de la ville	• **Vidéo :** *Bonjour Paris* • **Fenêtre sur :** La ville de Paris • **DNL :** Le français en cours de mathématiques
• Le genre et le nombre des noms • Les articles définis • Les verbes **aimer**, **adorer** et **détester** • Le verbe **habiter** **Phonétique : Les / le**, la liaison après **les**	• Les professions • Les mois de l'année • Les fêtes et les jours fériés • Les nombres jusqu'à 31 • Les animaux	• **Vidéo :** *Les machines, le pari fou de deux grands enfants* • **Fenêtre sur :** La ville de Nantes, Jules Verne et les Machines de l'Île • **DNL :** Le français en cours de littérature
• Le verbe **être** • Les prépositions (pays et villes) • Les adjectifs de nationalité • Le pronom **on** • **C'est / Il est** • Les articles indéfinis • La négation • Les pronoms toniques **Phonétique :** Les nationalités au masculin et au féminin	• Les noms de pays • Les nationalités • Les langues • Les activités de loisirs • Les sports • Les styles de musique • Exprimer ses goûts	• **Vidéo :** *Les quatre langues de la Suisse* • **Fenêtre sur :** • Les langues et la population étrangère de la Suisse • Genève : l'ONU et le CERN • **DNL :** Le français en cours de géographie
• Les possessifs (1) : **mon**, **ma**, **mes / ton**, **ta**, **tes / son**, **sa**, **ses** • Le genre et le nombre des adjectifs • Les verbes **porter** et **mettre** • Les adverbes d'intensité • Poser des questions : **comment**, **pourquoi**, **est-ce que**, **qu'est-ce que** **Phonétique :** Les sons [ɛ̃], [ɔ̃] et [ɑ̃]	• La famille • La description physique • Les vêtements • Le caractère • Les adjectifs de couleur	• **Vidéo :** Bande-annonce de *Lou, journal infime* • **Fenêtre sur :** La série de BD *Paul* et le parcours *Paul à Montréal* • **DNL :** Le français en cours d'arts plastiques

OBJECTIFS GRAMMATICAUX ET PHONOLOGIQUES	OBJECTIFS LEXICAUX	OBJECTIFS CULTURELS
• L'interrogation : **quel** / **quelle** / **quels** / **quelles** • **Il y a** / **Il n'y a pas** (1) • Les possessifs (2) : **notre**, **votre**, **leur**, **nos**, **vos**, **leurs** • Les verbes **faire** et **jouer** • Les articles contractés • Le verbe **aller** • Indiquer l'heure **Phonétique :** La liaison entre un article et un nom	• Les lieux du collège • Les jours de la semaine • Les matières • Les sports • Les activités extrascolaires • Les conjonctions **mais** et **après** • Exprimer la fréquence (1)	• **Vidéo :** *La Journée d'un collégien* • **Fenêtre sur :** L'île de la Réunion et les sports qu'on peut y faire • **DNL :** Le français en cours d'Éducation physique et sportive
• Les verbes pronominaux • Les verbes **lire**, **sortir**, **dormir** et **prendre** • Indiquer l'heure • **Moi aussi**, **moi non plus**, **moi non** / **pas**, **moi si** **Phonétique :** Les formes des verbes **lire**, **prendre**, **dormir** et **sortir**	• Les moments de la journée • Les activités quotidiennes • Les loisirs • **Avant**, **après** • Les expressions pour réagir • Exprimer la fréquence (2)	• **Vidéo :** *Ma journée* • **Fenêtre sur :** Activités à faire à Bordeaux et ses alentours • **DNL :** Le français en cours de musique
• **Il y a / il n'y a pas** (2) • Le pronom **on = nous** • Le verbe **pouvoir** • Les prépositions de lieu • Les prépositions et les moyens de transports • L'impératif • L'interrogation (combien) **Phonétique :** Le présent et l'impératif	• Les lieux de la ville • Les moyens de transport • Indiquer un itinéraire • Les achats, les magasins et les commerces	• **Vidéo :** *Dites OUI à Lyon* • **Fenêtre sur :** La fête des Lumières de Lyon • **DNL :** Le français en cours d'histoire
• **Avoir mal à** • **Il faut** + infinitif • **Pour** + infinitif • **Tu peux** / **Tu pourrais** • L'impératif négatif • **Quand** + présent **Phonétique :** L'ordre et la suggestion	• Les parties du corps • Les sensations physiques • Les ressentis négatifs • Les sentiments et les émotions	• **Vidéo :** *À quoi ça sert de dormir ?* • **Fenêtre sur :** La ville de Toulouse • **DNL :** Le français en cours d'éducation civique

À la une

LOUISE

Elle est française et elle vit à Paris, dans le 13e arrondissement. Elle fait du skate et elle aime beaucoup l'art, surtout les graffs !

AGATHE

Elle est belge, mais elle vit en Suisse, dans la ville de Genève. Elle adore voyager et découvrir de nouveaux pays et elle aime bien apprendre des langues.

MÉLISSA

Elle est française et elle vit à la Réunion. Elle adore aller à la plage et nager dans la mer. Elle fait du théâtre.

JADE

Elle est française, elle habite à Lyon et elle adore les musées et les parcs de sa ville. Elle fait beaucoup de sport et elle aime aussi faire du shopping avec ses amies.

MALO

Il est français et il vit à Nantes. Il aime bien faire des photos d'animaux, parce qu'il adore les animaux !

MAX

Il est canadien et il vit à Montréal. Il aime beaucoup les séries et il adore lire des BD.

PAUL

Il est français et il vit à Bordeaux. Il aime beaucoup le sport et il fait du surf.

NOÉ

Il est français et il habite à Toulouse. Il est très sportif et fait du rugby, un sport très populaire dans sa région. Mais il aime tous les sports et fait attention à sa santé !

1. DIS-MOI DIX MOTS

A Piste 1

Écoute l'enregistrement et retrouve les mots ci-dessous.

ASTUCE

Tu comprends tous les mots ? Il y a des mots qui ressemblent à ceux de ta langue ? En français, les mots sont masculins ou féminins. Et dans ta langue ?

B **Demande à ton professeur comment s'appellent des objets de ta classe qui t'intéressent dans ta langue.**

Comment on dit ... en français ?

2. LA POLITESSE

A **Observe cette affiche. La comprends-tu ? As-tu déjà vu une affiche semblable ?**

B **Connais-tu ces autres formules de politesse ? Comment les traduis-tu dans ta langue ? En connais-tu d'autres ?**

Merci. De rien. Bonsoir. Pardon.

3. L'IMAGE DE LA FRANCOPHONIE

A Que connais-tu de la France et des pays de la Francophonie ? Associe chaque photo à un nom.

1. Stromae
2. Le musée du Louvre
3. Des chocolats suisses
4. Les Daft Punk
5. Le Festival de Cannes
6. Antoine Griezman
7. La fashion week de Paris
8. La lutte sénégalaise
9. Astérix et Obélix
10. Un plat de couscous

B À toi ! Crée un collage avec des photos qui représentent pour toi ton pays ou les pays où on parle ta langue.

4. LE FRANÇAIS EN PUBLICITÉS

A Observe ces publicités. Connais-tu certaines marques, institutions ou événements ? Reconnais-tu certains symboles ?

1

2

3

4

B Reconnais-tu certains mots sur ces publicités ? Y a-t-il des mots qui ressemblent à ceux de ta langue ?

C Observe de nouveau les publicités et essaie de comprendre le sens des mots suivants.

janvier grâce à carnaval

prix fromage enfants

ASTUCE

Pour t'aider dans la compréhension d'un document écrit, tu peux :
- repérer les mots « transparents » (qui ressemblent à des mots dans ta langue) ;
- t'aider du contexte pour comprendre le sens général de la phrase.

UNITÉ 1
Salut !

Bonjour Paris, Tyler Fairbank (2016)

Esplanade du Trocadéro, Paris

LEÇON 1

Je me présente

- Salutations
- Le présent des verbes **s'appeler** et **avoir**
- Les nombres de 1 à 16
- L'âge

Mini-projet 1

Se dessiner et se présenter.

LEÇON 2

Je me familiarise avec les sons du français

- L'alphabet
- Quelques sons du français

Mini-projet 2

Créer un nuage de mots pour représenter la France.

LEÇON 3

Je m'exprime en classe

- Les consignes
- Les phrases utiles pour la classe
- **Tu** et **vous**

Mini-projet 3

Créer une affiche avec des phrases et des consignes utiles pour la classe.

FENÊTRE SUR

Je découvre des endroits de Paris

PROJET FINAL

OFFRIR UN « MOT-CADEAU »

Salut ! Je m'appelle Louise, j'ai 12 ans et j'habite à Paris, la capitale de la France.

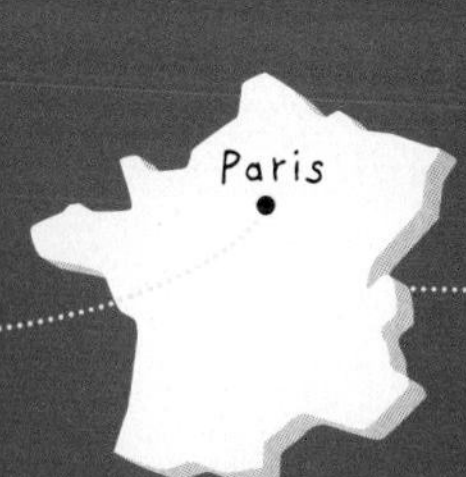

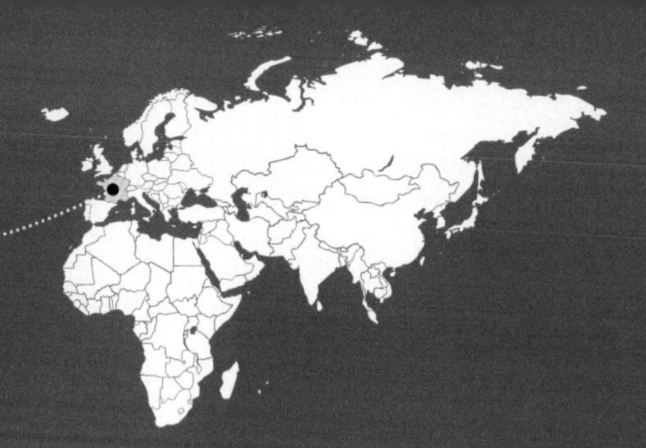

Louise
Coucou les copains ! Comment ça va ? C'est Louise...
18:03

Max
Salut, Louise !
18:04

Mélissa
Salut ! Bonne idée ce groupe !
19:30

Malo
Salut tout le monde !
19:45

Paul
Bonjour ! 😄
19:47

Agathe
😄 😄 😄 😄
20:49

En route !

1. Lis les messages. Quels sont les mots utilisés pour saluer ?

2. Salue tes camarades.

Salut Brian !

3. Classe les prénoms des participants de la conversation : prénoms de garçons ou prénoms de filles. Connais-tu d'autres prénoms français de filles et de garçons ?

4. Regarde la vidéo. Reconnais-tu des endroits de Paris ?

- *Le musée du Louvre !*
- *Et l'Arc de Triomphe...*

1. COMMENT TU T'APPELLES ?

A Écoute ces dialogues et associe-les aux photos.

Piste 2

1 

3 

2 

4 

A
- • Bonjour ! Comment ça va ? Moi, je m'appelle Louise. Comment tu t'appelles ?
- ○ Moi, je m'appelle Malo.

B
- • Salut ! Moi, c'est Max. Et vous?
- ○ Salut ! Moi, je m'appelle Mélissa, et voici Malo.

C
- • Coucou Max ! Ça va ?
- ○ Salut, Paul ! Ça va et toi ?
- • Super !

D
- • Allez, salut les gars ! À plus !
- ○ Ciao Louise, à bientôt !

ASTUCE

Le contexte de communication peut t'aider à comprendre le sens des nouveaux mots.

ÇA VA ? / ÇA VA !

Ça va est à la fois une question et une réponse. La différence est l'intonation.

→ p. 22

S'APPELER

On utilise ce verbe pour dire son nom.

Je	m'appelle
Tu	t'appelles
Il / Elle	s'appelle
Nous	nous appelons
Vous	vous appelez
Ils / Elles	s'appellent

→ p. 22

B En groupes, jouez les dialogues de l'activité A.

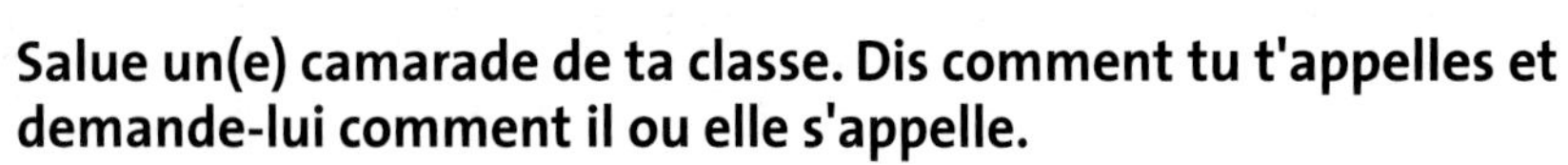

C Salue un(e) camarade de ta classe. Dis comment tu t'appelles et demande-lui comment il ou elle s'appelle.

- • Salut ! Je m'appelle Laura. Comment tu t'appelles ?
- ○ Moi, c'est Lucas.

D Lance un ballon à un(e) camarade : salue-le et demande-lui comment il / elle va. Il / Elle te répond, puis il / elle lance à son tour le ballon à un(e) autre camarade.

- • Bonjour ! Ça va ?
- ○ Ça va... À plus !

SALUER ET PRENDRE CONGÉ

Pour saluer, on dit **Salut** ou **Bonjour**. Pour prendre congé, on dit **Salut, Au revoir, À plus, À bientôt, Ciao**...

→ p. 24

2. TU AS QUEL ÂGE ?

A Piste 3

Regarde ces chiffres. Quels nombres s'écrivent de façon similaire dans les langues que tu connais ? Puis, écoute-les. Que remarques-tu dans la prononciation des lettres ?

B **Écoute la chanson à nouveau et répète les nombres de 0 à 16.**

Piste 3

C **Écoute Louise et ses amis qui répondent à un micro-trottoir. Quel âge ont-ils ?**

Piste 4

Louise Axel

Lola Chloé Yanis

1. Il / Elle a 14 ans.
2. Ils ont 12 ans.
3. Il / Elle a 13 ans.
4. Il / Elle a 11 ans.

Louise a 12 ans.

AVOIR

J'	ai
Tu	as
Il / Elle	a
Nous	avons
Vous	avez
Ils / Elles	ont

→ p. 23

D **Cherche une photo d'un(e) adolescent(e) célèbre. Présente-la à la classe.**

Mike Wheeler, de la série "Stranger Things". Il a 12 ans.

E **Faites deux groupes. Un groupe dit un nombre et les élèves de l'autre groupe doivent dessiner ce chiffre en se disposant dans la classe.**

MINI-PROJET 1 : LES DESSINS DES ÉLÈVES DE LA CLASSE

1. Chaque élève se dessine, puis il montre son dessin à la classe et il se présente. Le dessin doit montrer un élément qui le caractérise.
   Salut, je m'appelle Lucie et j'ai 12 ans.
2. Le professeur récupère les dessins et les redistribue. Chaque élève doit se souvenir de qui est le dessin et présenter son camarade.
   Elle s'appelle Lucie et elle a 12 ans.
3. Faites un album avec les dessins des élèves de la classe.

→ Alternative numérique
Créer son avatar en ligne.

3. L'ALPHABET DU FRANÇAIS

A **Écoute et répète l'alphabet. Retrouve chaque mot dans le nuage de mots.**

Piste 5

A COMME... amour
B COMME...
C COMME...
D COMME...
E COMME...
F COMME...
G COMME...
H COMME...
I COMME...
J COMME...
K COMME...
L COMME...
M COMME...
N COMME...
O COMME...
P COMME...
Q COMME...
R COMME...
S COMME...
T COMME...
U COMME...
V COMME...
W COMME...
X COMME...
Y COMME...
Z COMME...

ASTUCE

Compare avec ta langue et avec d'autres langues que tu connais : Comment on dit « A comme amour » dans ta langue ?

B **Écoute à nouveau les lettres. Y a-t-il des sons qui n'existent pas dans ta langue ? Lesquels ?**

Piste 5

C **Cherche d'autres mots connus en français ou d'autres noms de personnalités françaises et présente-les aux élèves de la classe.**

- R comme restaurant.
- Z comme Zaz.

D **Épelle ton prénom à un(e) camarade, qui l'écrit, puis inversez les rôles.**

- O, L, I, V, I, A.
- C, H, A, R, L, I, E.

4. LES SONS DU FRANÇAIS

A Piste 6 **Écoute les sons et répète les mots. Cherche dans l'unité d'autres mots avec les sons et complète la liste.**

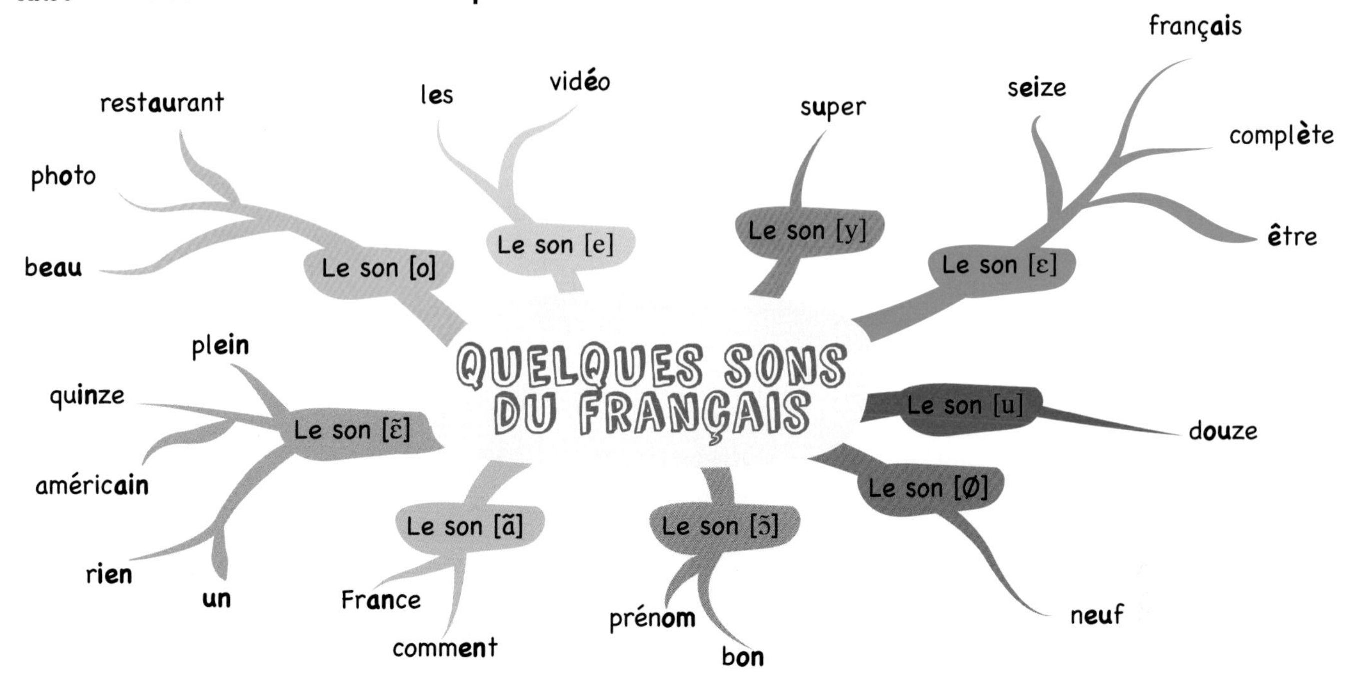

B **Prononce ces mots.**

tour veut non tu chaise

élève treize étudiant groupe

ASTUCE

Pense à des mots que tu connais dans d'autres langues et qui contiennent ces sons : [y] comme *München* en allemand, [ɛ] comme *best* en anglais...

C Piste 7 **Écoute et vérifie.**

D Piste 8 **Regarde ces six mots du vocabulaire de la classe. Comment se prononcent-ils ? Écoute et vérifie.**

1. Livre
2. Trousse
3. Bureau
4. Cours
5. Tableau
6. Stylo

MINI-PROJET 2 : NUAGE DE MOTS « LA FRANCE »

1. En petits groupes, faites une liste des mots que vous associez à la France.

Paris, quiche...

2. Comparez votre liste avec celles des autres groupes et, en groupe-classe, créez un alphabet des mots qui représentent la France. Il faut un mot pour chaque lettre de l'alphabet.

3. Faites un nuage de mots avec les mots de l'alphabet.

Alternative numérique
Faire le nuage de mots en ligne.

5. COMMUNIQUER EN CLASSE

A **Observe cette infographie avec les phrases utiles pour la classe. Comprends-tu tout ?**

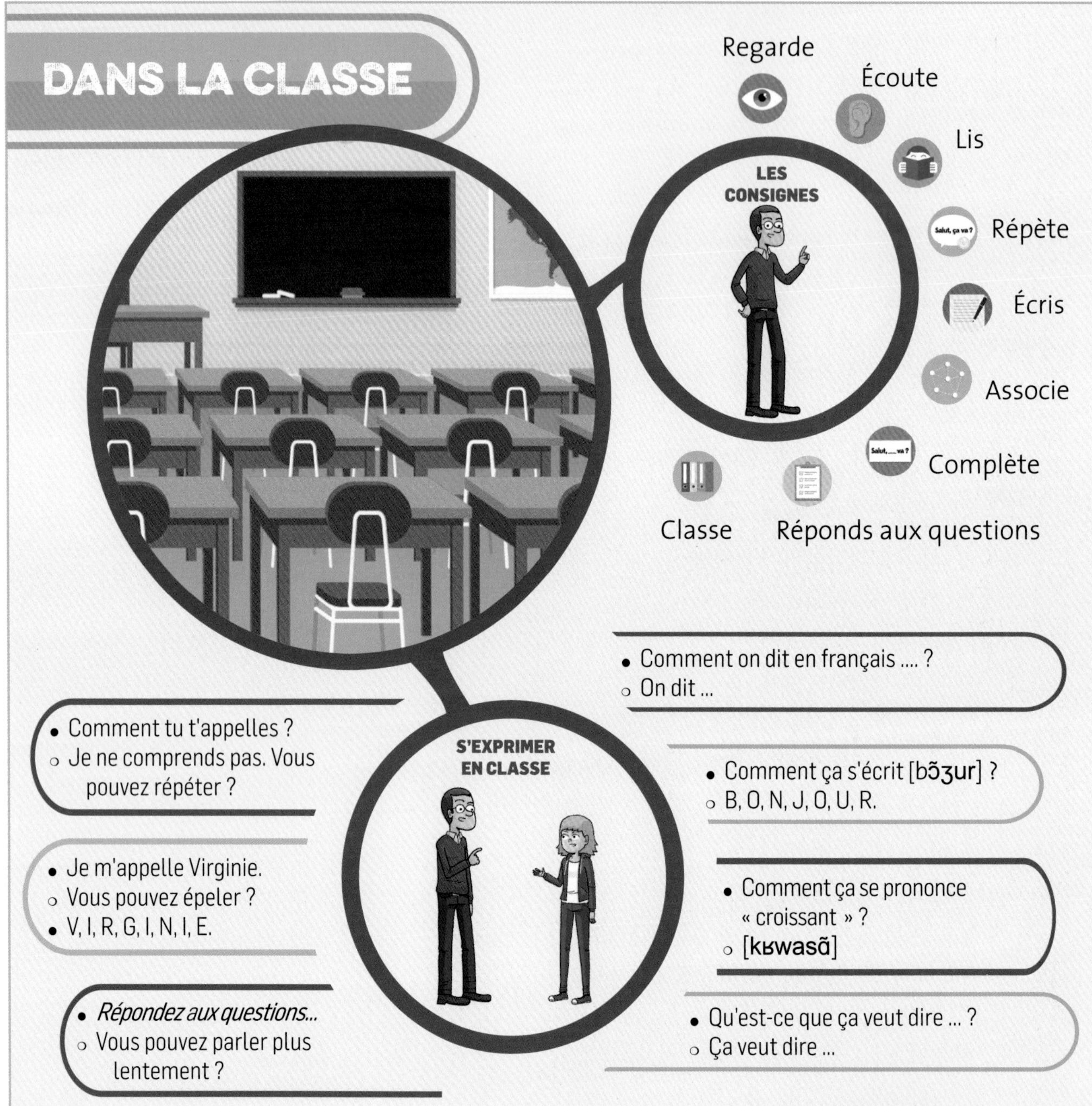

Piste 9

B **Écoute l'enregistrement et mime les actions à faire.**

Piste 10

C **Écoute un professeur qui répond aux questions des élèves et retrouve la question qui correspond à chaque réponse.**

1. Comment ça se prononce ?
2. Comment on dit en français ?
3. Comment ça s'écrit le mot « France » ? |
4. Pouvez-vous parler plus lentement ?

6. *TU* OU *VOUS* ?

A **Lis ces deux dialogues. Quelle est la différence ? Est-ce que cette différence existe dans ta langue ?**

B **À ton avis, en France, on utilise *tu* ou *vous* dans ces situations ? Et dans ton pays ?**

a. un professeur à un étudiant de ton âge
b. un étudiant de ton âge à un professeur
c. un étudiant à un autre étudiant
d. un commerçant à un client
e. un client à un comerçant
f. une mère à sa fille
g. une fille à sa mère

MINI-PROJET3 : LE "KIT DE SURVIE" EN CLASSE DE FRANÇAIS

1. En groupe-classe, écrivez les phrases et les consignes importantes pour vous en classe de français. Votre professeur peut vous aider.
   Comment on dit en français ?
2. Créez une affiche avec ces phrases et consignes et illustrez-la.
3. Collez l'affiche au mur de la classe.

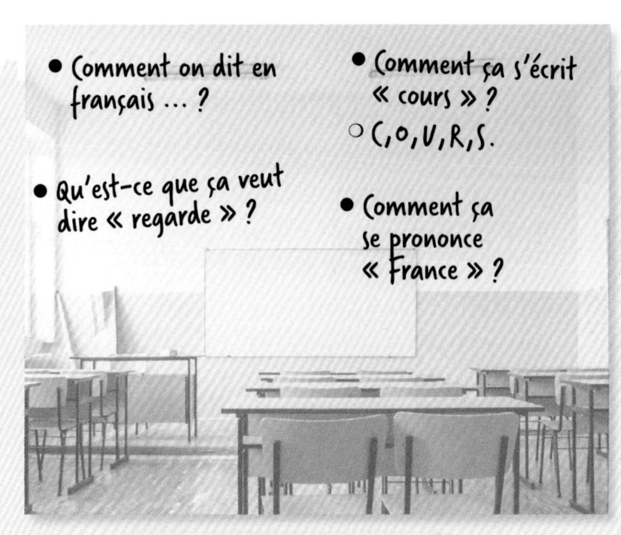

→ Alternative numérique
Créer votre affiche en ligne.

A. Le verbe *s'appeler*

S'appeler est un verbe pronominal : les formes verbales sont accompagnées d'un pronom réfléchi.

	S'APPELER
JE	m'appelle
TU	t'appelles
IL / ELLE	s'appelle
NOUS	nous appelons
VOUS	vous appelez
ILS / ELLES	s'appellent

PHONÉTIQUE

Le verbe **s'appeler** est un verbe à deux bases : la prononciation du **-e** change (**-ell** → [ɛl] ou **-el** → [əl]).

1. Écoute et coche le son que tu entends.

Piste 11

	-ell → [ɛl]	-el → [əl]
a.		
b.		
c.		
d.		

2. Associe les questions et les réponses.

a. Comment vous vous appelez ?
b. Comment tu t'appelles ?
c. Comment elle s'appelle ?

1. Julia.
2. Marco et Ella.
3. Moi ? David.

3. Complète les phrases avec le pronom qui manque.

a. Salut, comment tu ..... appelles ?
b. Ils ..... appellent Sonia et Florent.
c. Je ..... appelle Raphaëlle.
d. Comment vous ..... appelez, monsieur ?

4. Complète ces phrases avec le verbe *s'appeler* conjugué.

a. Elle ..... Marta.
b. Je ..... Manfred.
c. Nous ..... Thomas tous les deux.
d. Vous ..... Léa et Juliette ?
e. Comment tu ..... ?
f. Ils ..... Frank et Margaret.

B. *Ça va*

Ça va est une formule de politesse qui accompagne la salutation. On l'emploie quand on s'adresse à une personne qu'on connaît déjà et assez bien.

C'est une question qu'on pose pour demander à la personne comment elle va, mais on n'attend pas une vraie réponse. La personne répond en général : **Ça va**, **et toi / vous ?**

! Salutation plus soutenue : **Comment allez-vous ?**

5. Écoute et signale par une croix si tu entends une question ou une réponse.

Piste 12

	ÇA VA.	ÇA VA ?
a.		
b.		
c.		
d.		
e.		

C. Le verbe *avoir*

AVOIR	
J'	ai
TU	as
IL / ELLE	a
NOUS	avons
VOUS	avez
ILS / ELLES	ont

- Pour dire son âge :

J'ai 14 ans, il a 13 ans et elle a 12 ans.

- Pour demander l'âge de quelqu'un :

Quel âge tu as ?
Quel âge il a ?

6. Complète ces dialogues avec le verbe *avoir* conjugué.

a. ● Quel âge tu ..... ?
❍ 13 ans. Et toi ?
● Moi, j'..... 12 ans.

b. ● Marcel ..... 12 ans comme nous ?
❍ Non, il ..... 15 ans.
● Ah.

c. ● Nous ..... 13 ans, mais Rita et Mar ..... 14 ans.
❍ Non ! Moi j'..... 15 ans !

D. *Tu* et *vous*

On emploie **tu** ou **vous** pour adresser directement la parole à une personne.

Le choix de **tu** ou **vous** dépend de la relation qu'on a avec la personne.

	RELATION	AVEC QUI
TU	+ proche	la famille, les amis, les camarades de classe, les jeunes de ton âge...
VOUS	- proche	les personnes inconnues, un médecin, un professeur...

7. Écoute ces dialogues, écris qui parle et coche si tu entends *tu* ou *vous*.

Piste 13

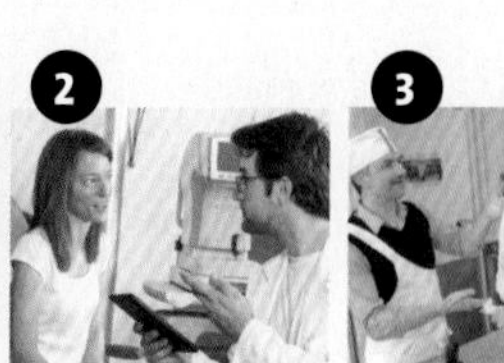

	QUI PARLE ?	TU OU VOUS ?
a.		
b.		
c.		

PHONÉTIQUE

8. Écoute et coche le son que tu entends.

Piste 14

	[Y] COMME DANS *TU*	[U] COMME DANS *VOUS*
a.		
b.		
c.		
d.		
e.		
f.		

A. Les consignes

1. Associe les consignes aux dessins.

Regarde Écoute Lis

Répète Écris Réponds

B. Les nombres

2. Écris le total de ces opérations en toutes lettres.

a. 0 + 12 = douze
b. 3 + 5 = ...
c. 12 + 4 = ...
d. 6 + 7 = ...
e. 1 + 2 = ...
f. 5 + 4 = ...
g. 3 − 1 = ...
h. 4 + 2 = ...
i. 16 − 1 = ...

C. A comme...

3. Épelle un mot que tu connais.

A comme « Audrey », L comme « lentement », B comme « baguette », A comme « associe ».

D. Les mots du français

4. Écris quelques mots que tu connais en français et dessine ce qu'ils représentent.

bisou 

5. Crée ta carte mentale. Écris les mots que tu veux retenir de cette unité et ajoute des photos et des dessins.

Saluer et prendre congé

Salut !
Bonjour !
Au revoir !
À plus !
À bientôt !
Ciao !

Les endroits de la ville

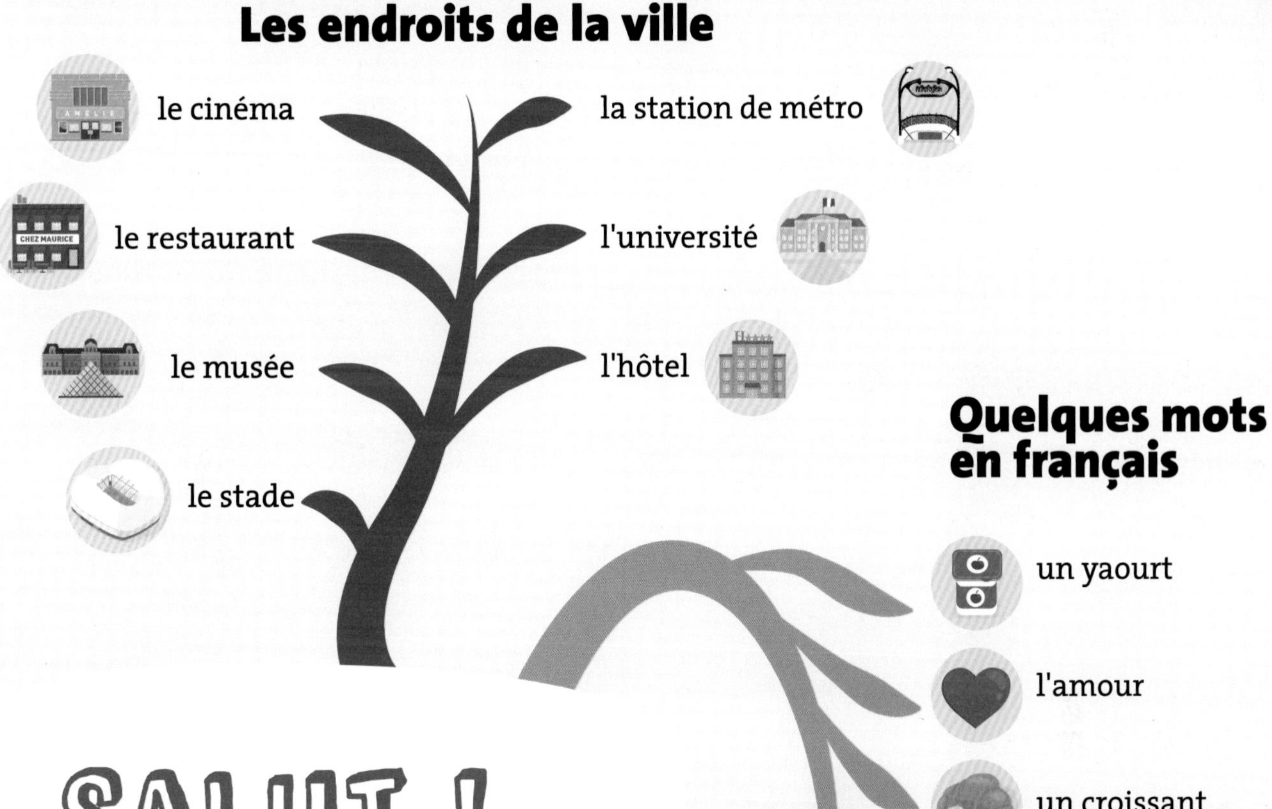

- le cinéma
- le restaurant
- le musée
- le stade
- la station de métro
- l'université
- l'hôtel

SALUT !

Quelques mots en français

- un yaourt
- l'amour
- un croissant
- un menu
- une peluche

Les questions utiles en classe

- Comment on dit en français ?
- Comment ça s'écrit / se prononce « chaise » ?
- Qu'est-ce que ça veut dire « chaise » ?
- Je ne comprends pas.
- Pouvez-vous épeler ?

Les consignes

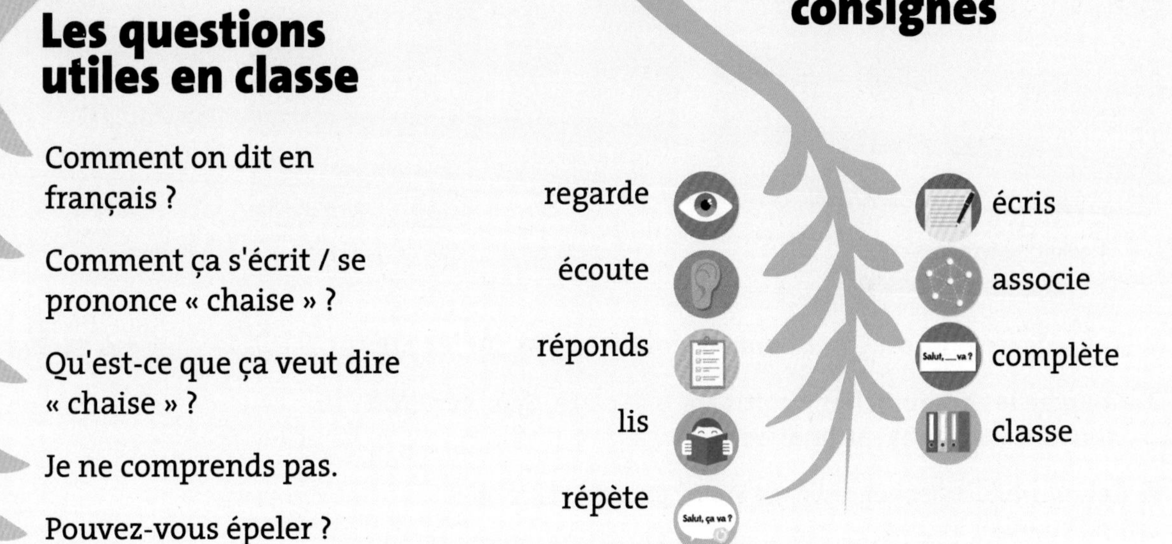

- regarde
- écoute
- réponds
- lis
- répète
- écris
- associe
- complète
- classe

MON PARIS

J'habite à Paris, dans le 13e arrondissement. J'adore ma ville. Voici mon Paris !

Stade de France

Beaubourg, Centre Pompidou

Le Mendiant, œuvre de Bleck le Rat (2005)

Cinéma Escurial

Station de métro République

1. Regarde les photos. Comprends-tu tous les mots sur les photos ?

2. Cherche les endroits des photos sur une carte. Quels endroits se trouvent dans le 13e arrondissement ?

3. Connais-tu d'autres endroits de Paris ? Cherche dans quel arrondissement ils sont.

La tour Eiffel est dans le 7e arrondissement.

LE SAIS-TU ?

À Paris, il y a 20 arrondissements. Le 1er arrondissement est le centre de Paris. L'ordre des arrondissements suit la forme d'un escargot.

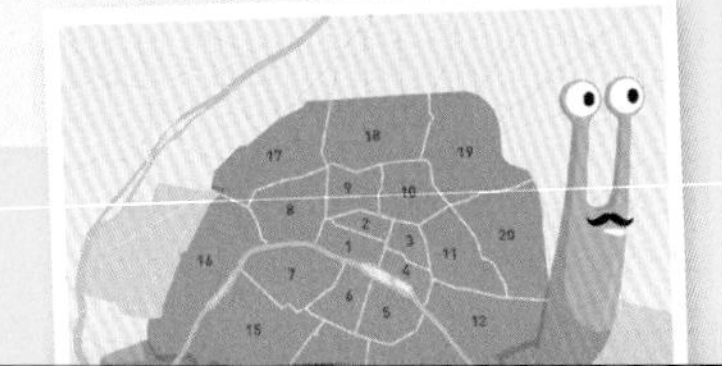

Dans ce numéro, Louise nous présente la ville de Paris.

Un café parisien

Skateparc, Bercy

Plaque de l'Avenue des Gobelins

Journaliste en herbe !

Prépare un reportage de photos de ta ville et ajoute des légendes. Compare-le avec les reportages de tes camarades.

QUESTIONNAIRE CULTUREL

Teste tes connaissances !

Saluer et prendre congé

→ Quels sont les mots qu'on utilise pour saluer ?

a. Au revoir.
b. Bonjour.
c. Salut.
d. À bientôt.
e. À plus.

La classe

→ En France les élèves disent ...... à leurs professeurs.
a. tu
b. vous

Paris

→ Fais des recherches et complète le nom de ces endroits de Paris et associe-les aux photos.

a. Musée ......
b. Stade ......
c. Tour ......
d. Cathédrale ......
e. Arc ......

1 

2 

3 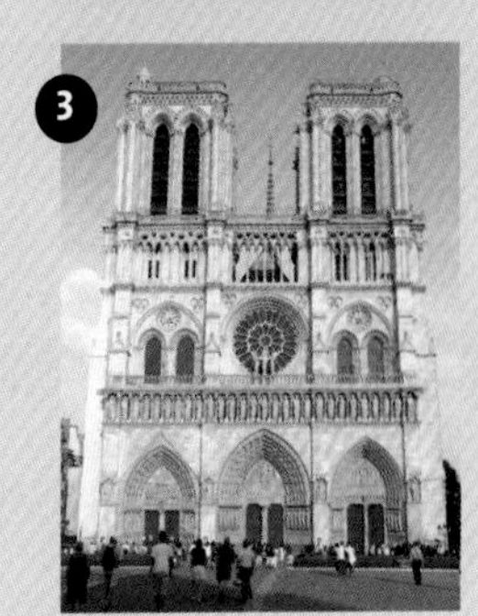

4 

5 

MON PROJET FINAL : **UN MOT COMME CADEAU**

TU VAS OFFRIR UN MOT COMME CADEAU À UN(E) CAMARADE DE LA CLASSE.

1. D'abord, chacun(e) écrit son prénom sur un papier et le donne au professeur.
2. Chaque élève tire au hasard le prénom d'un(e) autre élève. Il / Elle doit lui offrir comme cadeau un dessin ou une photo d'un mot en français qui commence par la même lettre que son prénom.
3. Le professeur récupère les « cadeaux » et les donne.
4. Montrez votre cadeau à vos camarades. Pouvez-vous deviner qui vous l'offre ?

Alternative numérique
Utiliser un mur virtuel (*padlet*) pour publier votre photo ou dessin du mot.

DNL En classe de mathématiques

Multiplication, addition, soustraction ou division

A. Retrouve les signes des opérations correspondant aux résultats suivants, puis écris en lettres chaque résultat.

1. 6 x 2 = 12 (douze)
2. 7 ..... 2 = 9 (.....)
3. 16 ..... 2 = 8 (.....)
4. 15 ..... 12 = 3 (.....)
5. 10 ..... 3 = 7 (.....)
6. 7 ..... 2 = 14 (.....)

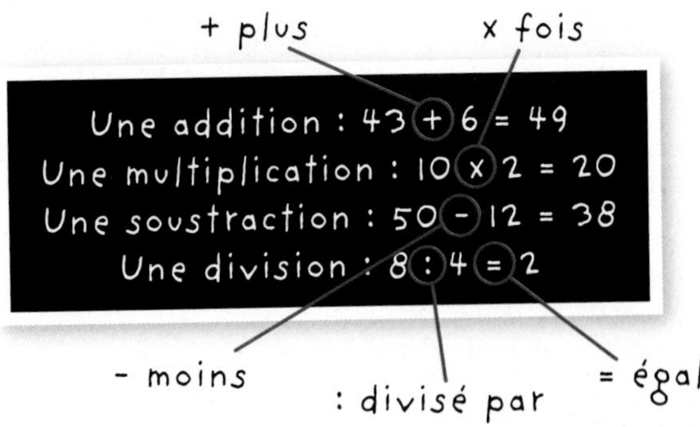

B. À deux, réalisez ces opérations le plus vite possible. Le binôme qui termine en premier gagne.

1. 18 - 4 = ...
2. 14 - 5 = ...
3. 12 - 6 = ...
4. 7 + 3 = ...
5. 6 + 3 = ...
6. 6 x 2 = ...
7. 14 - 6 = ...
8. 8 x 2= .....
9. 4 : 2 = ...
10. 6 + 4 = ...
11. 10 : 5 = ...
12. 15 : 3 = ...

C. Quelle ville de France vas-tu visiter ? Trace la droite A qui passe par Marseille et Clermont-Ferrand, puis trace sa perpendiculaire B qui passe par Paris. À l'intersection se trouve la ville que tu vas visiter.

D. Crée des dessins avec des formes géométriques et décris-les.

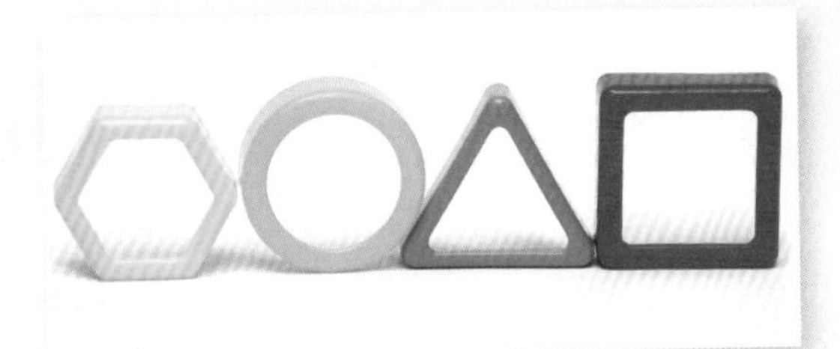

Un lapin avec deux triangles, deux rectangles...

UNITÉ 2
J'adore !

↑ *Les Machines, le pari fou de deux grands enfants*, Midi en France (2015)

↑ Vue aérienne de Nantes

LEÇON 1

Je me présente

- Les verbes **être**, **avoir** et **habiter**
- Les professions
- Le genre des noms
- Les renseignements personnels : nom, prénom, âge, ville

Mini-projet 1

Présenter une célébrité.

LEÇON 2

Je parle des anniversaires, des fêtes et des jours fériés

- Les nombres
- Les mois de l'année
- Les fêtes et les jours fériés

Mini-projet 2

Créer le calendrier de la classe.

LEÇON 3

Je parle de mes goûts et des animaux

- Les verbes **adorer**, **aimer** et **détester**
- Les animaux
- Le nombre des noms
- Les articles définis

Mini-projet 3

Publier sur un réseau social la photo de mon animal préféré.

FENÊTRE SUR

Je découvre Nantes et les Machines de l'Île.

PROJET FINAL

INVENTER LE PROFIL D'UN NOUVEL ADOLESCENT

Salut! Je m'appelle Malo et j'habite à Nantes. Dans cette unité, on va apprendre à se présenter et à exprimer nos goûts.

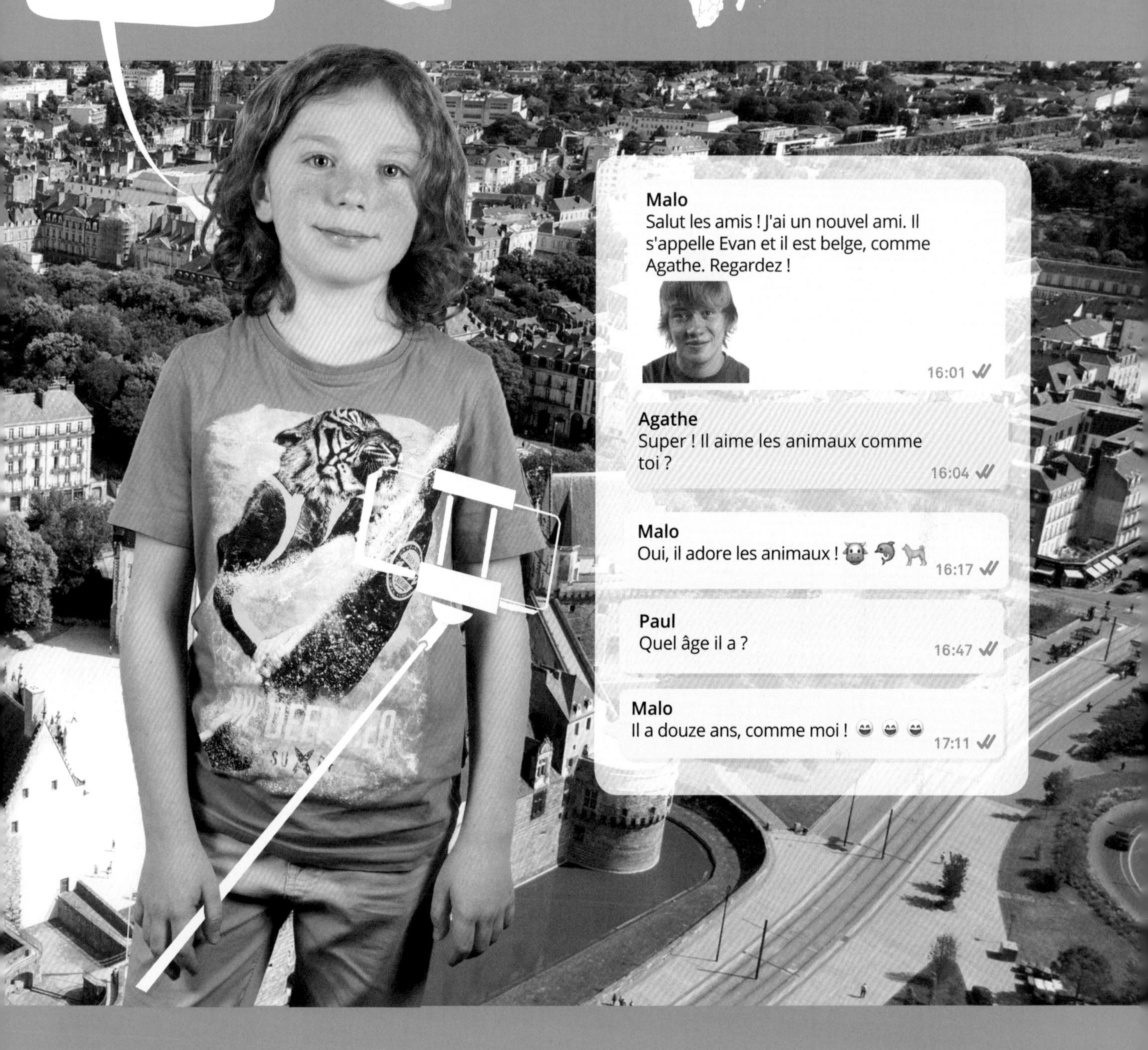

En route !

1. Complète avec les informations correctes.

a. Il s'appelle .....
b. Il a ..... ans.

c. Il s'appelle .....
d. Il est .....
e. Il aime .....

2. Regarde la vidéo. Quels animaux vois-tu ? Comment s'appellent-ils en français ? Cherche dans le dictionnaire, si nécessaire.

1. JE SUIS FRANÇAIS

A Lis les fiches et associe ces phrases à la fiche correspondante.

1. Elle a 13 ans.
2. Il est français.
3. Il s'appelle Abdou.
4. Elle a 12 ans.
5. Il est de Nantes.
6. Il est sénégalais.
7. Il a 12 ans.
8. Il habite à Saint-Louis.
9. Elle s'appelle Juliette.
10. Elle habite à La Rochelle.

A

Camp de vacances Les journalistes en herbe

Fiche d'inscription

NOM Bertin
PRÉNOM(S) Julie
PAYS Canada
ÂGE 13
VILLE Québec

B

Camp de vacances Les journalistes en herbe

Fiche d'inscription

NOM Diawara
PRÉNOM(S) Abdou
PAYS Sénégal
ÂGE 14
VILLE Saint-Louis

C

Camp de vacances Les journalistes en herbe

Fiche d'inscription

NOM Leguénec
PRÉNOM(S) Malo
PAYS France
ÂGE 12
VILLE Nantes

D

Camp de vacances Les journalistes en herbe

Fiche d'inscription

NOM Moreau
PRÉNOM(S) Juliette
PAYS France
ÂGE 12
VILLE La Rochelle

ÊTRE

Je	suis
Tu	es
Il / elle	est
Nous	sommes
Vous	êtes
Ils / Elles	sont

→ p. 38

AVOIR

J'	ai
Tu	as
Il / Elle	a
Nous	avons
Vous	avez
Ils / Elles	ont

→ p. 38

HABITER

J'	habite
Tu	habites
Il / Elle	habite
Nous	habitons
Vous	habitez
Ils / Elles	habitent

! *Il* habite *à Nantes.*

→ p. 38

B Écoute. De qui parle-t-on ?

Piste 15

	Julie	Abdou	Malo	Juliette
1.				
2.				
3.				
4.				

C Remplis une fiche comme celles de l'activité A, puis présente-toi à tes camarades.

Je m'appelle Victor, j'ai 13 ans et j'habite à Rome.

LE SAIS-TU ?

Voici une carte d'identité française. Compare-la avec la tienne : quelles sont les différences ?

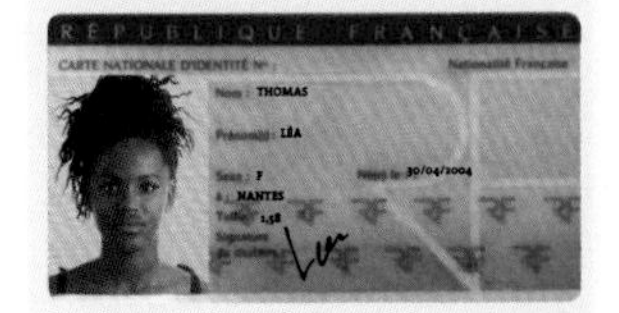

2

2. PROFESSIONS

A Regarde cette affiche. Peux-tu associer les photos de ces Français célèbres avec leur profession ?

QUI EST QUI ?

1. Il est footballeur. **2.** Elle est chanteuse. **3.** Elle est cuisinière.

4. Elle est actrice. **5.** Il est photographe et artiste.

Léa Seydoux (1985)

Christine and the Queens (1998)

Hélène Darroze (1967)

Paul Pogba (1993)

JR (1983)

LE GENRE DES NOMS

MASCULIN	FÉMININ
cuisinier	cuisinière
chanteur footballeur	chanteuse footballeuse
acteur	actrice
photographe artiste	

→ p. 39

LE SAIS-TU ?

Christine and the Queens ou Chris est le nom d'artiste d'Héloïse Letissier, une chanteuse et pianiste née en 1988 à Nantes. Elle fait du rock, elle chante en anglais et elle est très célèbre dans le monde !

B Quels autres Français célèbres connais-tu ?

Zidane. Il est entraîneur de foot.

MINI-PROJET 1 : PRÉSENTER UNE CÉLÉBRITÉ

1. Choisis une célébrité et prépare une fiche de présentation : nom, prénom, âge, ville de résidence, profession.

2. Donne ta fiche à ton voisin. Il présente la personne à la classe.

Elle s'appelle Selena Gomez et elle est actrice et chanteuse.

NOM : Gomez
PRÉNOM : Selena
PROFESSION : actrice et chanteuse

→ Alternative numérique
Présenter ta célébrité avec un programme de présentations.

3. JOYEUX ANNIVERSAIRE !

A Piste 17

Écoute cette conversation et aide Malo à placer les anniversaires de ses amis sur son calendrier.

Rémi — Evan — Zoé — Charlotte — Soraya

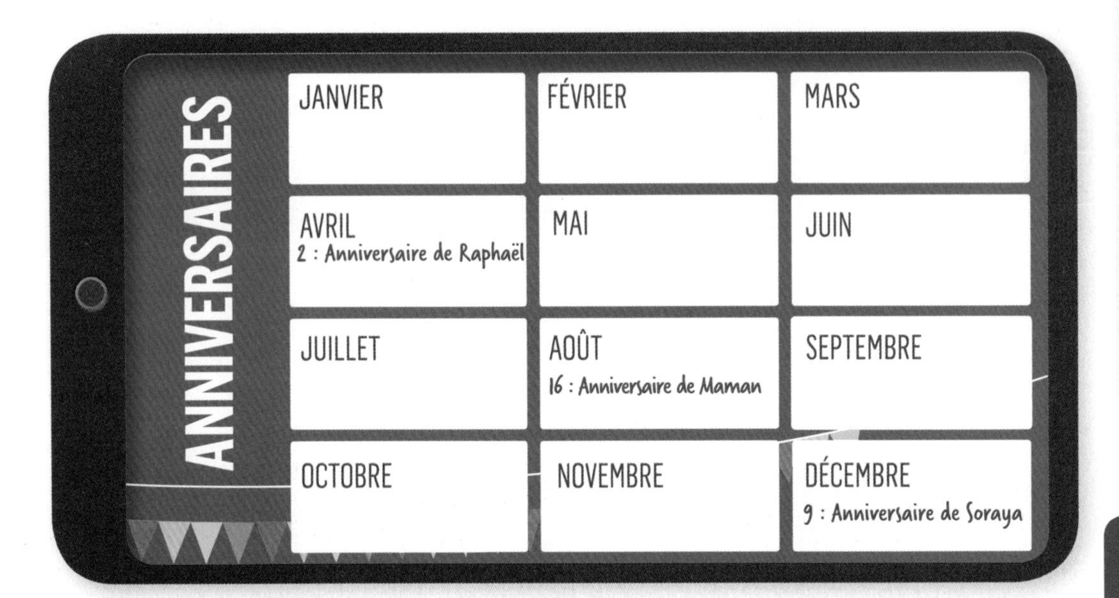

B **Ajoute sur le calendrier les dates d'anniversaire de quatre de tes amis.**

C **Écris ta date d'anniversaire sur une feuille. Mélangez toutes les feuilles de la classe. Pioche-en une et devine qui c'est.**

12 avril

- Le 12 avril. C'est Paula ?
- Oui !

D Piste 18

Écoute cette chanson d'anniversaire et apprends-la par cœur. Chante-la à tes camarades le jour de leur anniversaire.

Joyeux anniversaire,
Joyeux anniversaire,
Joyeux anniversaire, Malo,
Joyeux anniversaire.

LES NOMBRES Piste 16

17 dix-sept
18 dix-huit
19 dix-neuf
20 vingt
21 vingt-et-un
22 vingt-deux
23 vingt-trois
24 vingt-quatre
25 vingt-cinq
26 vingt-six
27 vingt-sept
28 vingt-huit
29 vingt-neuf
30 trente
31 trente-et-un

→ p. 41

LES MOIS DE L'ANNÉE

Janvier
Février
Mars

Avril
Mai
Juin

Juillet
Août
Septembre

Octobre
Novembre
Décembre

→ p. 41

PARLER DE SON ANNIVERSAIRE

Mon anniversaire est le 14 novembre.

Je suis né(e) le 14 novembre.

Mon anniversaire, c'est en novembre.

Le 14 novembre, c'est l'anniversaire de Paul.

→ p. 39

4. LES FÊTES ET LES JOURS FÉRIÉS

Piste 19

A **Regarde ce calendrier, écoute l'enregistrement et entoure les jours dont on parle. Et toi, quelle est ta fête préférée ?**

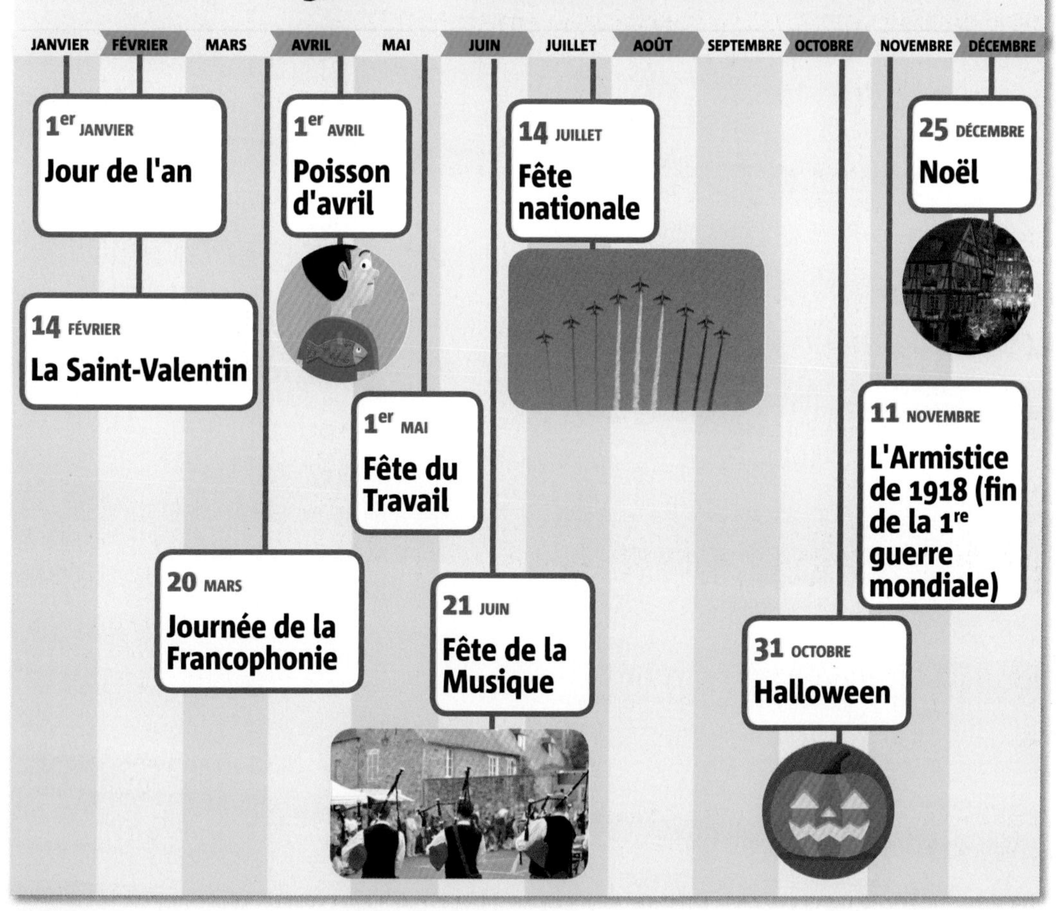

C'EST LE / LA...

C'est la Saint-Valentin.

C'est la fête de la Musique.

Le 25 décembre, c'est Noël.

LE SAIS-TU

En France, le 1er avril, on fait des blagues et on colle des poissons en papier sur le dos de nos proches ! Il y a aussi des fausses informations dans les médias.

Le 21 juin, on célèbre la musique avec des concerts gratuits dans toutes les villes.

B **À deux, posez-vous des questions sur les fêtes et jours fériés de votre pays. Pour chaque bonne réponse, comptez un point. Qui gagne ?**

- La Journée internationale des droits des femmes.
- C'est le 8 mars !
- Oui !

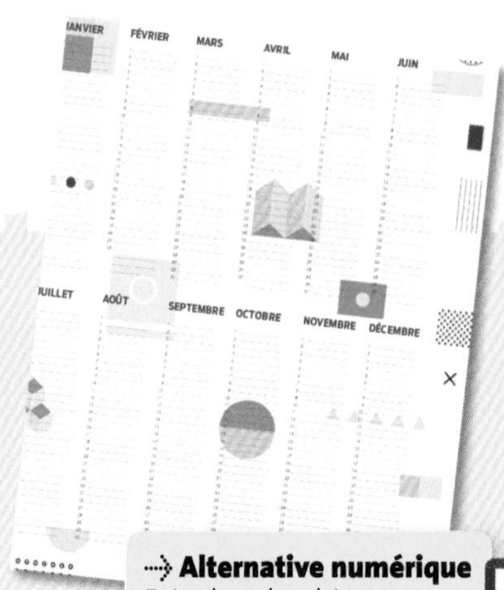

MINI-PROJET 2 : UN CALENDRIER DE LA CLASSE

1. En groupe-classe, créez le calendrier des anniversaires de la classe.

2. Ajoutez les jours fériés, les fêtes et les jours de vacances.

3. Collez le calendrier sur le mur et, cette année, rappelez-vous de fêter l'anniversaire de tous les élèves de la classe et de chanter la chanson !

→ Alternative numérique
Faire le calendrier avec un programme de design.

5. JE DÉTESTE LES CHIENS !

A Lis ces commentaires et place le nom des personnes dans le tableau selon leurs goûts et l'animal dont ils parlent.

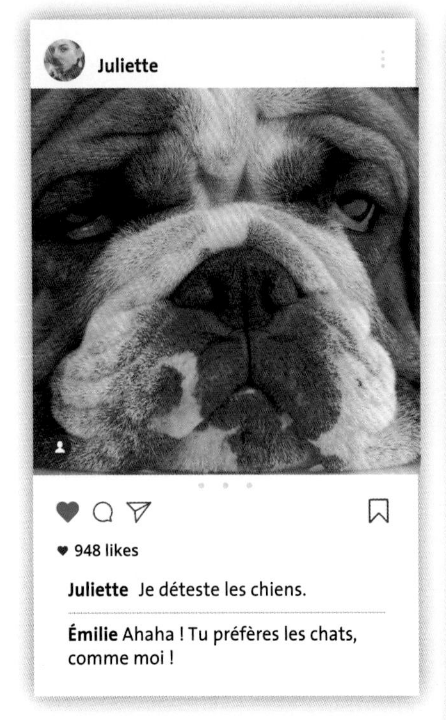

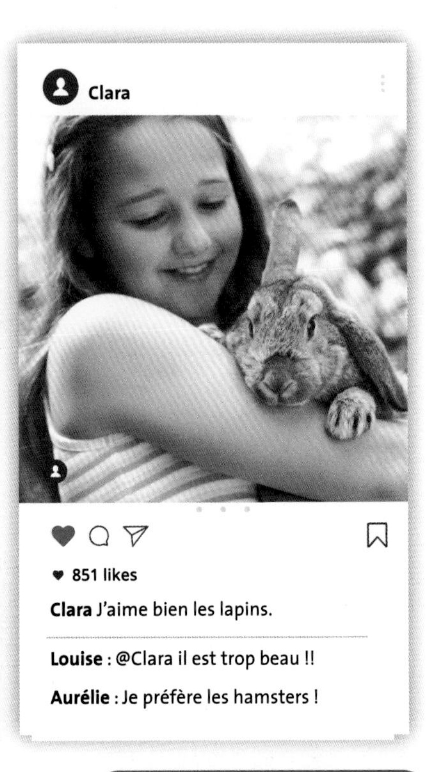

	Il / Elle déteste	Il / Elle aime
1. Juliette	les chiens	
2. Émilie		
3. Anthony		
4. Charly		
5. Théo		
6. Clara		
7. Aurélie		

EXPRIMER LES GOÛTS

♥♥♥ J'adore
♥♥ J'aime beaucoup
♥ J'aime (bien)
Je déteste

→ p. 38

AIMER

J'	aime
Tu	aimes
Il / Elle	aime
Nous	aimons
Vous	aimez
Ils / Elles	aiment

→ p. 38

B Et toi ? Tu aimes les animaux de l'activité A ? Quels autres animaux aimes-tu ou détestes-tu ? Parles-en avec un camarade, puis présente ses goûts à la classe.

Otto aime bien les chiens, mais il déteste les chats. Et il adore les chevaux !

LE NOMBRE DES NOMS

SINGULIER	PLURIEL
chien	chiens
oiseau	oiseaux
cheval	chevaux

→ p. 39

6. DES ANIMAUX EXTRAORDINAIRES

A Malo aime beaucoup les animaux. Lis son blog : peux-tu trouver le nom des animaux des photos ?

LE BLOG DE MALO

Salut les amis ! Je suis en Martinique, dans les Caraïbes. C'est magnifique ! Je découvre des animaux extraordinaires : la tortue de mer, le perroquet, l'iguane, le colibri et le zébu. J'adore les animaux !

1 

2 

3 

4 

5 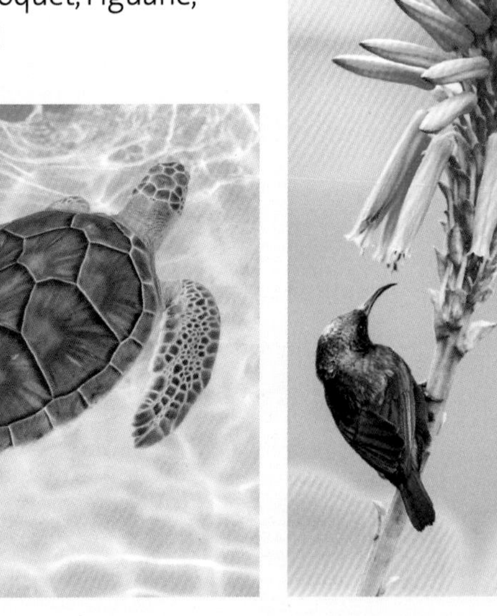

ASTUCE

Certains mots peuvent être transparents. Aide-toi de ta langue pour comprendre leur sens.

B Chaque élève écrit le nom de trois animaux sur trois papiers. Mélangez tous les papiers, puis chacun en pioche un : tu as une minute pour dessiner ou mimer cet animal ; les autres devinent.

LA FOURMI

LE SINGE

LE CHEVAL

LES ARTICLES DÉFINIS

	MASCULIN	FÉMININ
SG.	le colibri l'éléphant	la tortue l'iguane
PL.	les éléphants les tortues	

→ p. 39

MINI-PROJET 3 : MON ANIMAL PRÉFÉRÉ

1. Publie la photo ou le dessin de ton animal préféré sur un réseau social avec une phrase pour le présenter.
2. Écris des commentaires sur les photos de tes camarades.

Moi aussi, j'aime bien les gazelles.

→ Alternative
Coller la photo sur un papier et écrire un commentaire.

A. Le présent de l'indicatif des verbes *être, avoir* et *habiter*

	ÊTRE	AVOIR	HABITER
JE / J'	suis	ai	habite
TU	es	as	habites
IL / ELLE	est	a	habite
NOUS	sommes	avons	habitons
VOUS	êtes	avez	habitez
ILS / ELLES	sont	ont	habitent

- Pour dire sa nationalité ou sa profession, on utilise **être** :

Elle est française et elle est chanteuse.

- Pour dire son âge, on utilise le verbe **avoir** :

Marta a 13 ans.

- **Habiter à** + ville :

J'habite à Londres.

1. Complète les phrases avec la forme qui convient des verbes *être, avoir* et *habiter*. Parfois, il y a plusieurs possibilités.

a. J'..... à Paris.
b. Il ..... 14 ans.
c. Nous ..... français.
d. Mon anniversaire, c'..... le 18 avril.
e. Tu ..... 15 ans ?
f. Vous ..... à Toulouse.
g. Elles ..... italiennes.
h. Vous ..... à Nantes ?

2. Complète ces phrases pour dire trois choses sur toi.

a. J'ai .....
b. J'habite .....
c. Je suis .....

B. Exprimer les goûts : *aimer, adorer et détester*

	DÉTESTER	AIMER
JE / J'	déteste	aime
TU	détestes	aimes
IL / ELLE	déteste	aime
NOUS	détestons	aimons
VOUS	détestez	aimez
ILS / ELLES	détestent	aiment

- **Adorer / Aimer / Détester** + nom :

♥♥♥ *J'adore les chiens.*
♥♥ *J'aime beaucoup le français.*
♥ *J'aime bien les tortues.*
👎 *Je déteste le chocolat.*

- **Adorer / Aimer / Détester** + verbe à l'infinitif :

♥♥♥ *J'adore étudier.*
♥♥ *J'aime beaucoup étudier.*
♥ *J'aime bien jouer au foot.*
👎 *Je déteste danser.*

3. Déchiffre les hiéroglyphes pour reconstituer ces phrases.

a. Je + ♥♥♥ + 
b. Nous + ♥ + 
c. Raphaël + 👎 +
d. Valentine + ♥♥ +
e. Ils + ♥♥♥ +
f. Elle + 👎 +
g. Vous + 👎 +
h. Vous + ♥ +

4. Complète ces phrases pour exprimer tes goûts.

a. J'adore .....
b. J'aime beaucoup .....
c. J'aime bien .....
d. Je déteste .....

C. Les articles définis

	MASCULIN	FÉMININ
SINGULIER	le colibri l'éléphant	la tortue l'iguane
PLURIEL	les éléphants	les tortues

! Nom commençant par une voyelle ou un **–h** muet : **le / la** → **l'**

On utilise les articles définis pour parler de quelqu'un ou de quelque chose...

• qui est déjà connue :

Le chat de Patricia est très mignon. (= On sait déjà que Patricia a un chat.)

• qu'on présente comme une catégorie connue de tout le monde :

Le chat est un animal domestique. (= Le chat est une catégorie, un type d'être vivant.)

5. Écris *le*, *l'*, *la* ou *les*.

..... jour ..... écrivain ..... cheval
..... fête ..... calendrier ..... tortues
..... villes ..... chanson ..... chat

PHONÉTIQUE

! **Le chat** ([lø ʃa]); **les chats** ([le ʃa])

6. Écoute et dis si c'est pluriel ou singulier.

Piste 20

	1	2	3	4	5	6
le	x					
les						

On fait la liaison entre **les** et les mots qui commencent par une voyelle ou un **–h** muet : **les fêtes** ([le fɛt]), **les amis** ([lez ami])

7. Écoute et dis si on fait la liaison ou pas.

Piste 21

	1	2	3	4	5	6
[z]	x					
ø						

D. Le genre et le nombre des noms

La forme des noms de profession dépend du genre de la personne.

MASCULIN ♂	FÉMININ ♀
ouvrier	ouvrière
employé	employée
danseur	danseuse
mécanicien	mécanicienne
directeur	directrice
journaliste	journaliste

Pour former le pluriel, on ajoute généralement un **–s** mais il existe de nombreuses exceptions.

SINGULIER	PLURIEL
chien	chiens
oiseau	oiseaux
cheval	chevaux

8. Écris le pluriel de ces mots.

a. réseau **d.** fête **g.** château
b. animal **e.** tortue **h.** jour
c. feuille **f.** tableau **i.** acteur

E. Parler des dates

Pour dire sa date de naissance : **Mon / Ton... anniversaire est le** + le jour.
Mon / Ton anniversaire est le 13 octobre.

Pour situer les dates dans un mois, on utilise **en** :
Mon anniversaire, c'est en octobre.
Le carnaval, c'est en février ?

9. Ton camarade te dit deux nombres : celui du jour de son anniversaire et celui de son mois de naissance. Tu lui dis la date de son anniversaire.

• 12, 12.
○ Ton anniversaire est le 12 décembre.

A. Les professions

1. Indique la profession des célébrités suivantes. Fais des recherches sur Internet si nécessaire.

a. Ariana Grande est .....
b. Novak Djokovic est .....
c. Killian Mbappé est .....
d. Leonardo DiCaprio est .....
e. Yann Arthus-Bertrand est .....
f. Alain Ducasse est .....

B. Les animaux

2. Complète ces phrases avec le nom des animaux au pluriel.

a. J'adore ..... 
b. J'aime beaucoup .....
c. J'aime bien ..... 
d. Je déteste ..... 

3. Devine de quel animal on parle.

a. C'est le meilleur ami de l'homme.
b. Il vole.
c. Il parle !
d. Elle porte sa maison et elle est très lente.

C. Les nombres

Piste 22

4. Écoute et entoure les nombres que tu entends, puis écris-les en lettres.

1	**a.** 31	**b.** 30	**c.** 13
2	**a.** 21	**b.** 28	**c.** 23
3	**a.** 21	**b.** 31	**c.** 1
4	**a.** 16	**b.** 6	**c.** 26
5	**b.** 5	**b.** 25	**c.** 15

5. Crée ta carte mentale. Écris les mots que tu veux retenir de cette unité et ajoute des photos et des dessins.

Se présenter

Je m'appelle Malo.

J'ai 13 ans.

J'habite à Nantes.

Mon anniversaire est le 4 octobre.

Poser des questions

Comment tu t'appelles ?

Quel âge tu as ?

Quel est le jour de ton anniversaire ?

Les goûts

J'adore

J'aime beaucoup

J'aime (bien)

Je déteste

Les mois de l'année

Janvier	Avril	Juillet	Octobre
Février	Mai	Août	Novembre
Mars	Juin	Septembre	Décembre

Les nombres

17 dix-sept
18 dix-huit
19 dix-neuf
20 vingt
21 vingt-et-un
22 vingt-deux
23 vingt-trois
24 vingt-quatre
25 vingt-cinq
26 vingt-six
27 vingt-sept
28 vingt-huit
29 vingt-neuf
30 trente
31 trente-et-un

Les professions

 chanteur, chanteuse

 acteur, actrice

 cuisinier, cuisinière

 footballeur, footballeuse

 photographe

Les animaux

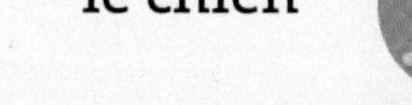

le chien 

 le hamster

 le lapin

le chat 

 le poisson

 la tortue

le cheval  

  l'oiseau

 le perroquet

FENÊTRE SUR ~ JOURNAL EN LIGNE ~

NANTES

Région : Pays de la Loire

Département : Loire-Atlantique

6e ville de France

3 lignes de tramway

1 château

À 2 h de Paris avec le TGV (et à 4 h en voiture)

Château des ducs de Bretagne

Jules Verne

JULES VERNE

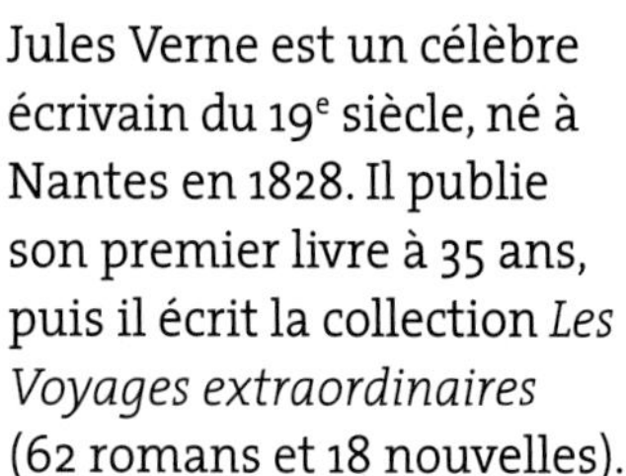

Jules Verne est un célèbre écrivain du 19e siècle, né à Nantes en 1828. Il publie son premier livre à 35 ans, puis il écrit la collection *Les Voyages extraordinaires* (62 romans et 18 nouvelles).

1. **Quelle est la relation entre Nantes et Jules Verne ? Et entre Jules Verne et les Machines de l'Île ?**

2. **Regarde à nouveau la vidéo de l'unité et va sur le site web des Machines de l'Île. Aimes-tu ces animaux ? Quel est ton animal préféré ?**

Mon animal préféré, c'est l'éléphant, mais j'aime bien aussi...

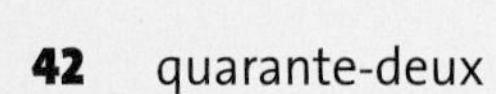

Dans ce numéro, Malo nous parle de Nantes, des Machines de l'Île et du Grand Éléphant.

LE GRAND ÉLÉPHANT

Cette machine extraordinaire fait partie d'une exposition d'animaux mécaniques géants (les Machines de l'Île). On les utilise pour des spectacles et tu peux les tester si tu visites Nantes. Ces machines sont inspirées de l'univers de Jules Verne et de Léonard De Vinci.

↑ Le Grand Éléphant

Journaliste en herbe !

Prépare une exposition de photos d'animaux. Ça peut être des personnages de fiction, des sculptures...

QUESTIONNAIRE CULTUREL

Teste tes connaissances !

Les mois de l'année

→ Je suis le premier mois de l'année. Qui suis-je ?

→ Je suis le mois le plus court de l'année. Qui suis-je ?

Les fêtes et les jours fériés

→ Associe ces fêtes françaises à leur date.

a. la fête Nationale.
b. la fête de la musique.
c. la fin de la 1ère Guerre mondiale.

1. le 21 juin
2. le 11 novembre
3. le 14 juillet

Les animaux

→ Tu reconnais ces animaux ?

La ville de Nantes

→ Dis le nom d'une chanteuse de Nantes.

→ Dis le nom d'un écrivain né à Nantes.

MON PROJET FINAL : **UN NOUVEL ADOLESCENT**

VOUS ALLEZ IMAGINER LE PROFIL D'UN NOUVEL ADOLESCENT

1. Individuellement, invente le profil d'un nouvel adolescent. Définie ses informations personnelles et ses goûts. Tu peux t'inspirer d'une personne que tu connais, si tu veux.
2. Écris son profil sous la forme d'un blog. Lis les autres profils et explique quel est celui que tu préfères.
3. Quel est le profil préféré de la classe ?

Alternative
Faire une affiche pour présenter le profil d'un nouvel adolescent.

J'aime beaucoup Alice parce qu'elle adore la mer et elle déteste les abeilles, comme moi !

Le blog de
Alice Duval

Nom : Duval
Prénom : Alice
Âge : 12
Date de naissance : 14/10/2005
Ville : Toulouse
Nationalité : française

J'adore : la mer
Je déteste : les abeilles
Mon animal préféré : l'âne
Ma fête préférée : le réveillon de Noël
Mon mois de l'année préféré : juillet
Ma chanson préférée : *Homeless* (Marina Kaye)

DNL En classe de littérature

Jules Verne et les romans d'aventures

A. Réponds aux questions suivantes, puis lis le texte et vérifie tes réponses.
a. Que sais-tu de Jules Verne ?
b. Connais-tu des œuvres de Jules Verne ? Lesquelles ?
c. As-tu déjà lu des livres de Jules Verne ? Lesquels ?

Jules Verne est né le 8 février 1828 à Nantes et est mort le 24 mars 1905 à Amiens. C'est un écrivain français qui s'est inspiré des progrès scientifiques du XIXe siècle pour écrire ses romans d'aventures.

Son œuvre est populaire dans le monde entier et il est l'auteur français le plus traduit en langue étrangère. Ses romans les plus célèbres, comme *Le Tour du monde en quatre-vingts jours* ou *Vingt mille lieues sous les mers* ont également été adaptés au cinéma.

B. Retrouve le nom et les personnages de ces trois romans célèbres de Jules Verne dans ce nuage de mots. Fais des recherches sur Internet si nécessaire.

Vingt mille lieux sous les mers

Le Tour du monde en 80 jours

De la Terre à la Lune

NÉMO BARBICANE SOUS-MARIN
MER PAQUEBOT ARDAN FOGG NAUTILUS
TERRE NICHOLL
PHILEAS CAPITAINE

C. Présente à la classe un roman ou une BD d'aventures que tu connais bien : auteurs, personnages, etc.

UNITÉ 3
J'habite en Suisse

↑ *Les quatre langues de la Suisse*, vidéo créée par swissinfo.ch (2015)

↑ Jet d'eau, Genève

LEÇON 1

Je parle des pays

- Les pays francophones
- Les pays et les articles définis
- Le verbe **habiter**
- Les prépositions **en**, **au**, **aux**, **à**

Mini-projet 1

Placer sur une carte les pays où habitent des personnes connues.

LEÇON 2

Je parle des nationalités et des langues

- **C'est / Il est**
- Les articles indéfinis
- Le verbe **parler**
- Les langues et les nationalités

Mini-projet 2

Faire un graphique des langues parlées dans la classe.

LEÇON 3

Je parle de moi et de mes goûts

- Les renseignements personnels
- La négation
- Les activités de loisirs
- Les pronoms toniques
- Le pronom **on**

Mini-projet 3

Faire une affiche pour parler de mes goûts

FENÊTRE SUR

Je découvre Genève et les langues et la population étrangère de la Suisse.

PROJET FINAL

CRÉER UNE VIDÉO POUR PRÉSENTER NOTRE CLASSE

Salut, je m'appelle Agathe et j'habite à Genève, la deuxième ville de Suisse. Dans cette unité, nous allons parler des pays, des langues, de nos goûts et de la Suisse !

Agathe
Salut ! Je vous présente Arthur, il est nouveau dans la classe.
21:05

Arthur
Salut, je suis canadien, j'arrive de Montréal ! Et vous ?

21:07

Sacha
Moi, je viens de Russie !
21:14

Chloé
Moi, française, de Paris ! J'adore le Canada !
21:26

Leo
Moi, je suis italien. Bienvenue, Arthur ! 😀
21:47

Arthur
La classe est très internationale ! C'est top !
😀 😀 😀 😀
21:49

Agathe
Oui, et moi je suis belge ! Et on a même un copain australien, il s'appelle Paul. 🦘
22:03

En route !

1. Lis les messages et associe chaque prénom à un pays.

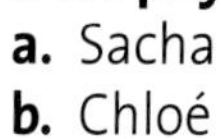

a. Sacha
b. Chloé
c. Leo
d. Arthur
e. Paul
f. Agathe

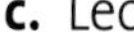

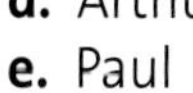

 Australie
 France
 Italie
 Belgique
 Russie
 Canada

2. Regarde la vidéo. Quelles sont les quatre langues de la Suisse ? Laquelle est la plus parlée en Suisse ?

3. Cite le nom d'une ville bilingue de Suisse. En quelles langues sont les panneaux ?

1. C'EST LA BELGIQUE ?

A Regarde le collage d'Agathe. Tu reconnais les lieux sur les photos ? À quels pays les associes-tu ?

Ça, c'est la Chine.

B Regardez une carte de l'Europe. En groupes, chacun pense à un pays et le fait deviner aux autres en disant le nom de ses pays voisins.

- L'Allemagne, la France, les Pays-Bas et le Luxembourg.
- C'est la Belgique ?

C Complète cette carte mentale. Tu peux l'illustrer avec des photos.

Pays que je connais

MES PAYS

Pays que je veux visiter

LES PAYS

- **La** + pays qui se termine par **-e** :
  la Suisse
  la France
  l'Espagne
  l'Italie
- **Le** + pays qui commence par une consonne ou qui se termine par une autre voyelle que **-e** :
  le Portugal
  le Canada
- **Les** + pays au pluriel :
  les Pays-Bas
  les États-Unis

→ p. 57

2. LÉA HABITE EN FRANCE

A Regarde ces photos d'amis d'Agathe. Où habitent-ils ?

Léa habite en France, à Paris.

Léa

Camille

Florent

Mathilde

Jade

B Écoute la conversation entre Agathe et Arthur et vérifie tes réponses. Elle parle aussi de Marcel. Où habite-t-il ?

Piste 23

LES PRÉPOSITIONS

- **En** + nom de pays féminin :
  Il habite en France.
  Je suis en Argentine.
- **Au** + nom de pays masculin :
  Il habite au Mexique.
  Il habite au Canada.
- **Aux** + nom de pays pluriel :
  Il habite aux États-Unis.
- Pour les villes, on utilise la préposition **à** :
  Il habite à Bruxelles.

→ p. 54

3. PAYS FRANCOPHONES

A Sais-tu quels pays sont francophones ? Fais des recherches sur Internet et écris le nom d'un ou deux pays francophones par continent.

Europe Asie Afrique

Océanie Amérique

Europe : La France, la Belgique...

MINI-PROJET 1 : OÙ HABITENT-ILS ?

1. En groupes, faites une liste de personnes connues et de personnages de fiction qui habitent à l'étranger. Écrivez à côté le pays et la ville où ils habitent.
   Mafalda : elle habite en Argentine, à Buenos Aires.
2. Faites une mise en commun avec les autres groupes et écrivez les pays au tableau. Combien de pays avez-vous ?
   L'Argentine, ...
3. Sur une carte, placez une épingle sur chaque pays et écrivez le nom des personnes qui y vivent. Vous pouvez aussi ajouter leur photo.

→ **Alternative numérique**
Faire une carte virtuelle.

4. ORIGINES MULTICULTURELLES

A Tu connais ces personnes célèbres ? Lis le document et réponds aux questions.

Soprano

C'est un rappeur, chanteur et compositeur français. Son vrai nom est Saïd M'Roumbaba. Ses parents sont originaires des Comores, une île dans l'océan Indien, à 300 km du Mozambique.

Teddy Riner

C'est un judoka français de la Guadeloupe, une île française des Caraïbes. Il est double champion olympique (Rio de Janeiro et Londres). Il parle le créole guadeloupéen !

Omar Sy

C'est un acteur français né en 1978. Son père est sénégalais et sa mère est mauritanienne. Il a reçu en 2012 un Oscar pour le film *Intouchables*.

Kev Adams

C'est un humoriste et acteur français né en 1991. Son père est algérien et sa mère est tunisienne.

1. Qui a des origines africaines ?
2. Qui vient du continent américain ?
3. Qui est un sportif ?
4. Qu'est-ce qu'ils ont en commun ?

C'EST / IL EST...

C'est un acteur. Il est français.

Omar Sy est un acteur français.

→ p. 54

LES ARTICLES INDÉFINIS

	MASCULIN	FÉMININ
SG.	un acteur	une actrice
PL.	des acteurs	

→ p. 54

LE SAIS-TU ?

Le créole guadeloupéen est une langue parlée en Guadeloupe. Il a une base lexicale française et africaine.

PARLER DES ORIGINES

Il est originaire des Comores.

Il est d'origine algérienne.

B En groupes, faites une liste des pays où vous avez de la famille ou des amis. Y a-t-il des élèves avec des origines multiculturelles dans la classe ?

C Lance une balle à un(e) camarade et dis le nom d'un pays. Il / Elle trouve la nationalité.

- Pérou.
- Tu es péruvienne !

LES ADJECTIFS DE NATIONALITÉ

FORMATION	MASCULIN	FÉMININ
CONSONNE + -E	espagnol français marocain	espagnole française marocaine
-IEN > -IENNE	tunisien péruvien	tunisienne péruvienne
-E > -E	suisse	suisse

→ p. 55

D Pense à une star avec des origines multiculturelles et qui parle plusieurs langues. Fais une fiche comme celle-ci.

PRÉNOM : Natalie
NOM : Portman
NATIONALITÉ :
VILLE :
ORIGINES :
LANGUES :

5. LES LANGUES

A Associe chaque phrase à la langue correspondante parlée en Suisse.

1. Hallo, geht is dir gut?
2. Bonjour, ça va ?
3. Ciao, come stai?
4. Bun di co vai?

Français Romanche

Italien Allemand

PARLER

Je	parle
Tu	parles
Il / Elle	parle
Nous	parlons
Vous	parlez
Ils / Elles	parlent

B À deux, répondez à ces questions.

1. Quelles langues parles-tu ?
2. Quelles langues étudies-tu ?
3. Quelles langues aimerais-tu parler ?

• Je parle allemand et j'étudie l'anglais et le français. Et toi ?

○ Moi, je parle espagnol et roumain, et j'étudie aussi le français et l'anglais. J'aimerais parler chinois.

PARLER DES LANGUES

Je parle (un peu / bien) espagnol.

J'étudie le français.

J'aimerais parler russe / chinois...

C Imagine un(e) nouveau(elle) camarade de classe et remplis sa fiche de présentation. Pioche une fiche et présente le / la camarade à la classe.

PRÉNOM(S) :

NATIONALITÉ :

PAYS D'ORIGINE :

LANGUES :

Elle s'appelle Alexandra et elle est américaine d'origine polonaise...

LE SAIS-TU ?

En France, il y a des langues régionales ; le breton, une langue celtique parlée en Bretagne ; l'occitan et le catalan, parlés dans le sud de la France, et l'alsacien, parlé en Alsace.

MINI-PROJET 2 : **LES LANGUES DE LA CLASSE**

1. En petits groupes, écrivez vos langues.
2. Présentez votre liste à la classe. Une personne écrit les langues au tableau.
3. Élaborez le graphique « Les langues de la classe ».
4. Commentez le graphique.

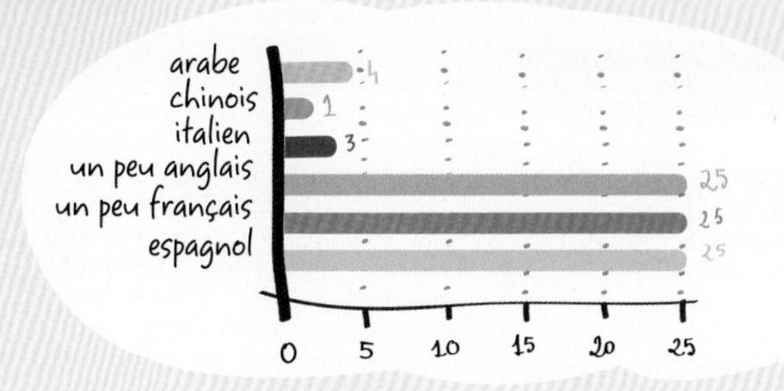

Dans notre groupe, nous parlons tous un peu anglais et français. Un élève parle chinois, trois élèves parlent italien...

Alternative numérique
Utiliser un logiciel pour présenter les résultats.

6. JE N'AIME PAS...

Piste 24

A **Écoute Charlotte, qui parle de ses goûts. Elle aime ou elle n'aime pas ces activités ?**

Elle aime. 👍 **Elle n'aime pas.** 👎

- **Écouter de la musique**
- **Cuisiner**
- **Jouer du piano**
- **Aller au cinéma**
- **Faire du skateboard**
- **Jouer au foot**

B **Et toi ? Tu aimes les activités précédentes ? Écris-les.**

Je n'aime pas jouer au foot.

C **Écris si tu aimes ou pas ces sports et types de musique, puis pose des questions à un(e) camarade pour connaître ses goûts. Avez-vous des choses en commun ?**

	Moi	Mon / Ma camarade
1. le karaté	*Je déteste.*	*Il / Elle adore.*
2. le basket		
3. le rock		
4. la musique classique		
5. le reggaeton		
6. le rap		

On aime le basket et on n'aime pas le rugby.

D **En petits groupes, chacun dessine quatre choses qu'il aime ou qu'il n'aime pas. Les autres doivent deviner.**

- *Tu n'aimes pas les abeilles.*
- *Si, j'adore !*

LA NÉGATION

J'aime aller au cinéma.
Je n'aime pas aller au cinéma.

- *Tu aimes lire ?*
- *Oui, j'adore !*

- *Tu n'aimes pas lire ?*
- *Si, j'adore !*
- ! *~~Oui~~, j'adore !*

→ p. 55

LES ACTIVITÉS DE LOISIRS

Regarder la télé / des séries.

Lire.

Danser.

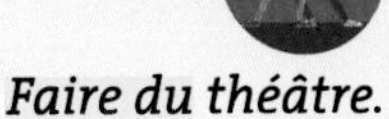

Faire du théâtre.

Jouer au foot / basket / rugby...

Surfer sur le web.

Sortir avec ses amis.

Faire du sport.

→ p. 56

LE PRONOM ON

Marta et moi, on aime beaucoup le rap.
(= nous aimons)

→ p. 54

7. LUI, IL AIME LE THÉÂTRE

A Regarde ces profils et lis les phrases. À qui font référence les pronoms en gras ?

NOM : Lemasne
PRÉNOM : Caroline
NATIONALITÉ : française
LANGUES PARLÉES : français, anglais, espagnol
RÉSEAUX SOCIAUX : Instagram, Snapchat
J'AIME : le violon, la gymnastique, les glaces à la fraise, les chiens
JE DÉTESTE : les films d'horreur, la pluie, l'école, le théâtre

NOM : Olio
PRÉNOM : Marco
NATIONALITÉ : italienne
LANGUES PARLÉES : italien, français, anglais
RÉSEAUX SOCIAUX : Instagram, Snapchat
J'AIME : le karaté, le théâtre, la cuisine, les chiens
JE DÉTESTE : le football, le fromage et la musique classique

NOM : Verderosa
PRÉNOM : Marion
NATIONALITÉ : belge
LANGUES PARLÉES : français, anglais
RÉSEAUX SOCIAUX : Facebook, Instagram, Snapchat
J'AIME : la mer, le sport
JE DÉTESTE : le karaté, la viande, les chiens

1. **Moi**, je suis française et, **lui**, il est italien. Moi : Caroline ; lui : Marco
2. **Moi**, je parle italien mais, **elle**, elle parle espagnol.
3. ● **Toi**, tu aimes le théâtre ?
   ○ Oui, j'aime beaucoup !
4. ● **Elle**, elle déteste le karaté.
   ○ Ah bon ? **Moi**, j'adore !
5. **Moi**, je n'aime pas du tout les chiens mais, **eux**, ils adorent !
6. **Nous**, on est sur Instagram et Scnapchat, mais **elle**, elle est aussi sur Facebook.

LES PRONOMS TONIQUES

moi	nous
toi	vous
lui, elle	eux, elles

En français, on utilise des pronoms toniques avant les pronoms sujet pour renforcer le sujet et se démarquer :

Moi, je suis française et, lui, il est italien.

Comment le fait-on dans ta langue ?

→ p. 55

B Complète ta fiche profil, puis compare-la avec celle d'un(e) camarade. Vous avez des choses en commun ? Lesquelles ?

Hugo et moi, on parle allemand et on aime la musique. Mais, lui, il aime le sport et, moi, je déteste !

MINI-PROJET3 : MES GOÛTS

1. Fais une liste des activités de loisirs que tu adores, aimes, n'aimes pas ou détestes.
2. Fais une carte mentale, illustre-la avec des photos et présente-la à la classe.

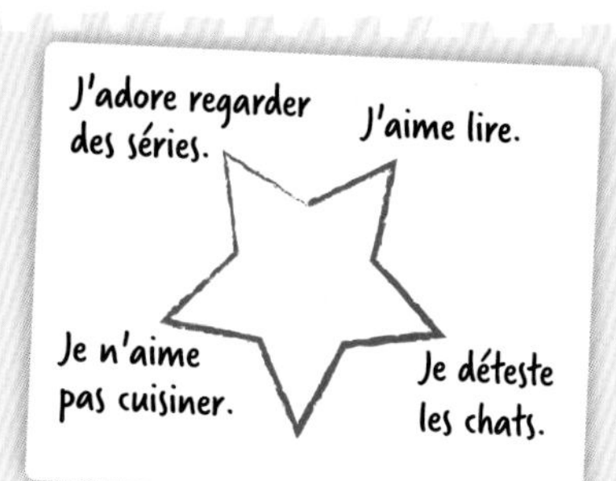

→ **Alternative numérique** Créer votre carte mentale en ligne.

A. Les prépositions devant les noms de pays et de villes

Les prépositions **en**, **au** et **aux** permettent d'indiquer le pays ou la ville où on est.

• On utilise **en** + nom de pays qui se termine par **-e** ou qui commence par une voyelle :

J'habite en Russie / en Italie / en Irak.

! Quelques exceptions : au **Mozambique**, au **Mexique**.

• On utilise **au** + nom de pays masculin qui commence par une consonne.

Il habite au Brésil. / Il est au Canada.

• On utilise **aux** + nom de pays au pluriel :

Il habite aux Pays-Bas.

• On utilise **à** + nom de ville :

Ils habitent à Lisbonne.

1. Retrouve le genre des pays comme dans l'exemple.

a. Katia habite **en** Pologne. → La Pologne
b. John est **en** Finlande. →
c. Tu habites **au** Danemark ? →
d. Luis et Paola habitent **aux** Pays-Bas. →
e. Nous habitons **en** Suisse. →
f. Nous sommes **au** Mexique. →

2. Complète avec *à*, *en*, *au* ou *aux*.

a. La tour CN est ..... Toronto, ... Canada.
b. La pyramide de Kukulcán est ..... Mexique.
c. La tour Eiffel est ..... Paris, ... France.
d. Le Taj Mahal est ..... Agra, ... Inde.
e. La statue de la Liberté est ..... New York, ... États-Unis.
f. Big Ben est ..... Londres, ... Angleterre.
g. Les pyramides sont ..... Gizeh, ... Égypte.

B. Les articles indéfinis

On utilise les articles indéfinis pour parler de quelqu'un ou de quelque chose que notre interlocuteur ne connaît pas encore.
J'ai un nouveau copain, il est italien.

	MASCULIN	FÉMININ
SINGULIER	un acteur	une actrice
PLURIEL	des acteurs / actrices	

3. Écris *un*, *une* ou *des*.

..... acteur ..... professeur ..... musique
..... photos ..... ville ..... carte
..... langues ..... personne ..... chanteur

! Ne pas confondre **un** = article indéfini et **un** = nombre.

C. Le pronom *on = nous*

À l'oral, **nous** est souvent remplacé par **on**. Avec **on**, le verbe se conjugue comme avec **il** et **elle**.

• *Nous habitons en Suisse. Et vous ?*
◦ *Nous, on habite en Belgique.*

4. Écris ce que tu as en commun avec un de tes camarades.

Mario et moi, on habite à Londres, on est anglais et on parle...

D. *C'est / Il est*

• **C'est** → pour présenter ou désigner quelqu'un.

C'est Patricia, elle est française.

• **Il / Elle est** → pour caractériser une personne.

Mon nouveau copain a 14 ans, il est canadien.

5. Cherche des photos de deux célébrités. Utilise ces structures pour les présenter à la classe.

a. C'est ...... Il / Elle est ..... .
b. C'est ..... . Il / Elle est ..... .

E. Les adjectifs de nationalité

	CONSONNE + E	IEN → IENNE	E → E
MASCULIN	français allemand sénégalais mexicain	italien péruvien	suisse russe belge
FÉMININ	française allemande sénégalaise mexicaine	italienne péruvienne	suisse russe belge

6. Complète les phrases comme dans l'exemple.

a. Lionel Messi est argentin.
b. Lady Gaga est .....
c. David Guetta est .....
d. Selena Gómez est .....
e. Haruki Murakami est .....
f. Roger Federer est .....
g. Stromae est .....
h. Kristen Stewart est .....

PHONÉTIQUE

7. Écoute et souligne la nationalité que tu entends.

Piste 25

a. chinois / chinoise
b. irlandais / irlandaise
c. mexicain / mexicaine
d. canadien / canadienne
e. français / française
f. marocain / marocaine
g. italien / italienne
h. portugais / portugaise

F. La négation : *ne... pas*

- Pour former une phrase négative : Sujet + **ne** + verbe + **pas**

• *Vous parlez italien, non ?*
◦ *Non, nous ne parlons pas italien.*

• *Tu habites à Marseille ?*
◦ *Non, je n'habite pas à Marseille, j'habite à Lyon.*

! Ne → **n'** devant une voyelle ou un **h** muet.

- Si la question est à la forme négative, on répond **si**.

• *Tu n'aimes pas la plage ?*
◦ *Si, j'aime la plage !*

8. Réponds à ces questions en disant le contraire.

a. Tu parles chinois ?
b. Tu n'aimes pas la danse ?
c. Tu as des amis français ?
d. Tu as quinze ans ?
e. Tu aimes les mathématiques ?
f. Tu n'es pas français(e) ?
g. Tu ne regardes pas de séries ?

G. Les pronoms toniques

PRONOMS PERSONNELS SUJETS	PRONOMS TONIQUES
je	moi
tu	toi
il	lui
elle	elle
nous	nous
vous	vous
ils	eux
elles	elles

Les pronoms toniques renforcent le sujet et permettent de se démarquer.

Moi, j'ai 13 ans et Lucas, lui, il a 14 ans.

9. Complète ces phrases avec des pronoms toniques.

a. ..... , nous sommes américains et, ... , elles sont anglaises.
b. ..... , tu es irlandais ou écossais ?
c. ..... , elle habite en Autriche et, ... , ils habitent en Espagne.
d. ..... , vous aimez les chiens ? ..... , je n'aime pas du tout.

A. Les pays et les langues

On met un article défini devant les noms de pays : les **États-unis**, le **Pérou**, l'**Argentine**.

! Les nationalités s'écrivent avec une majuscule (quand il ne s'agit pas des adjectifs) et les langues, avec une minuscule.
Les Italiens parlent anglais ?

1. Trouve six noms de pays.
bolsiboliviénorlouzallemagneiasuissecubos-madagascarsuicemarocsindebpérou

2. Quelles sont les langues parlées dans les pays de l'activité 1 ?

3. Associe ces étiquettes pour former des langues. Connais-tu d'autres langues avec les mêmes terminaisons ?

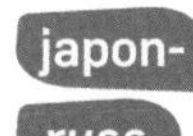

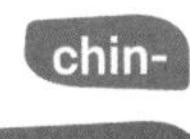

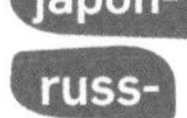

e

B. Exprimer les goûts

4. Complète ces phrases pour exprimer tes goûts.

le karaté | le rap
la mer | le rugby
les séries | les chiens
le fromage | le foot
le théâtre | les fêtes d'anniversaire

a. J'adore le fromage et...
b. J'aime...
c. Je n'aime pas...
d. Je déteste...

5. Crée ta carte mentale. Écris les mots que tu veux retenir de cette unité et ajoute des photos et des dessins.

Les styles de musique

le rap

la musique classique

le rock

le reggaeton

Les activités de loisirs

écouter de la musique

jouer du piano

jouer au foot

lire

aller au cinéma

cuisiner

J'HABITE EN SUISSE

Exprimer ses goûts

J'adore le foot / jouer au foot...

Je n'aime pas le foot / jouer au foot...

J'aime (bien) la musique / écouter de la musique...

Je déteste la musique / écouter de la musique...

Les sports

le rugby

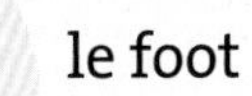

le foot

le basket

le karaté

la gymnastique

Les informations personnelles

Je parle (un peu / bien) espagnol / français / anglais...

Je viens de Suisse / Belgique...

Je suis espagnol / français / belge...

Je suis d'origine...

Je suis sur Instagram / Snapchat / Facebook...

Les pays et les nationalités

1. l'Espagne
2. le Portugal
3. la France
4. le Royaume-Uni
5. l'Irlande
6. l'Italie
7. l'Allemagne
8. la Suisse
9. l'Autriche
10. la Belgique
11. les Pays-Bas
12. la Slovénie
13. le Danemark
14. la Suède
15. la Norvège
16. la Finlande
17. la Pologne
18. la Croatie
19. la Serbie
20. la République Tchèque
21. la Grèce
22. la Roumanie
23. la Hongrie
24. l'Albanie
25. la Bulgarie

QUELQUES CHIFFRES SUR LA SUISSE

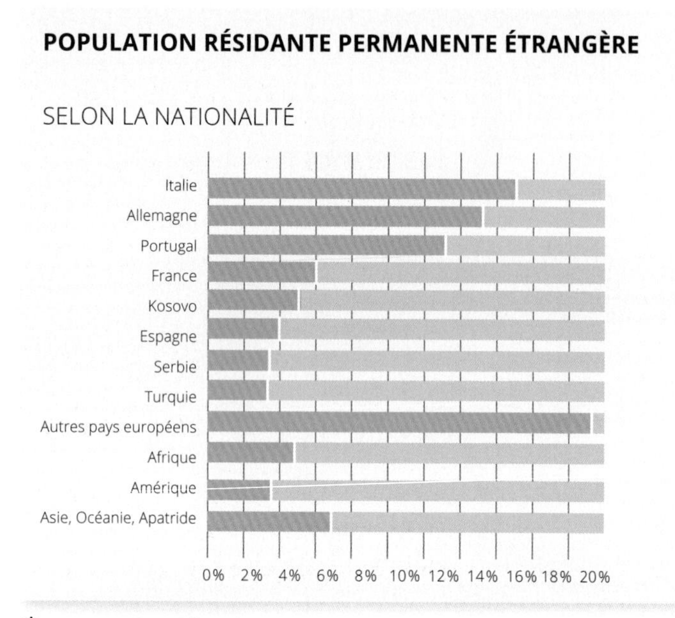

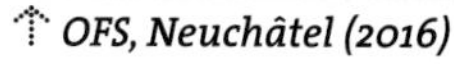

↑ *OFS, Neuchâtel (2016)*

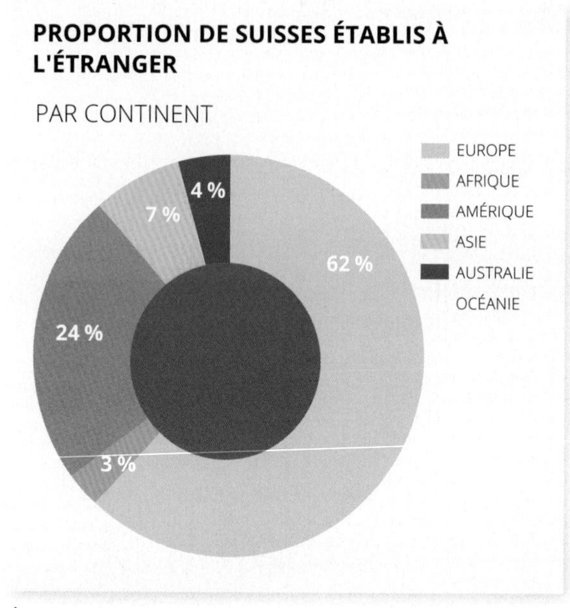

↑ *OFS, Neuchâtel (2016)*

LES LANGUES DE LA SUISSE

1. Regarde ces graphiques et la carte de la Suisse puis écris quelques phrases pour résumer les informations les plus importantes.

Beaucoup de Kosovars, Italiens, Allemands et Portugais habitent en Suisse.

2. Dis le nom de deux organisations internationales à Genève.

3. Quelles sont les nationalités les plus présentes dans ta ville ou pays ?

Dans ce numéro, Agathe nous parle de la Suisse, de sa population étrangère et de ses langues.

GENÈVE, VILLE COSMOPOLITE

Genève est la deuxième ville de la Suisse, après Zurich, et elle est la première ville de la zone francophone du pays. C'est une ville très cosmopolite : 40 % de sa population est étrangère.

Beaucoup d'organisations internationales se trouvent à Genève et attirent des étrangers. Genève est le deuxième siège de l'ONU.

↑ *Coupole de la salle des Droits de l'Homme de l'ONU du peintre espagnol Miquel Barceló* (1997)

↑ *Le CERN, Centre européen pour la recherche nucléaire* (1960)

Journaliste en herbe !

Fais des recherches sur Internet et présente quelques graphiques sur la population étrangère dans ton pays, les habitants de ton pays à l'étranger ou les langues parlées dans ton pays.

QUESTIONNAIRE CULTUREL

Teste tes connaissances !

La Suisse

→ Quel pays n'est pas voisin de la Suisse ?
a. la France
b. l'Autriche
c. l'Italie
d. le Luxembourg

→ Combien de langues sont parlées en Suisse ?
a. 4 (français, romanche, italien, allemand)
b. 3 (français, anglais, allemand)
c. 2 (français, allemand)
d. 1 (français)

→ Quelle langue parle-t-on à Genève ?
a. allemand
b. français
c. italien

Les pays

→ Fais des recherches et retrouve le nom des pays francophones qui correspondent à ces domaines d'Internet.

.lu	.lb	.ch
.be	.fr	.ca
.sn	.tn	.ml

→ Cite trois autres pays francophones.

Les langues

→ Dis le nom de deux langues régionales parlées en France.

→ Dis le nom de deux langues parlées dans des pays francophones.

MON PROJET FINAL : **UNE PRÉSENTATION DE LA CLASSE**

VOUS ALLEZ CRÉER UNE VIDÉO POUR PRÉSENTER VOTRE CLASSE

1. Individuellement, à deux ou en petits groupes, faites trois petites vidéos pour donner des informations sur :

- vos nationalités et origines ;
- les langues que vous parlez et que vous étudiez ;
- les activités que vous aimez ou que vous détestez.

2. Regardez les vidéos en classe.

3. Mettez les vidéos ensemble pour en faire une seule. Pour cela, faites un montage (par exemple, vous mettez d'abord toutes les vidéos où vous parlez de vos nationalités et origines, et après celles où vous parlez des langues...).

4. Regardez la vidéo et faites un bilan : combien d'élèves parlent deux langues ? Trois ? Etc.

→ Alternative numérique
Poster les vidéos sur le réseau social de la classe et proposer la vidéo de la classe pour le site web de votre école.

Deux élèves sont d'origine chinoise et parlent chinois. Trois élèves sont d'origine argentine. On aime tous sortir avec nos amis...

Moi, je m'appelle Ana, je suis allemande d'origine argentine. Je parle allemand, anglais et un peu de français. J'adore la musique, mais je n'aime pas danser. J'aime beaucoup regarder des séries et...

DNL En classe de géographie

La France d'outre-mer

Les DROM-COM, ce sont les départements et les territoires d'outre-mer, des territoires qui font partie de la France mais qui sont loin de l'Europe. La France, on l'appelle la métropole.

A. Observe la carte et réponds aux devinettes.

1. Je suis l'océan situé à l'ouest de l'Europe. Qui suis-je ?
2. Je suis l'océan situé à l'ouest de l'Amérique. Qui suis-je ?
3. Je suis un DROM-COM situé à l'est de Madagascar. Qui suis-je ?
4. Je suis un DROM-COM situé à 4 000 km de Sidney et à 1 871 km de la Nouvelle-Calédonie, qui suis-je ?

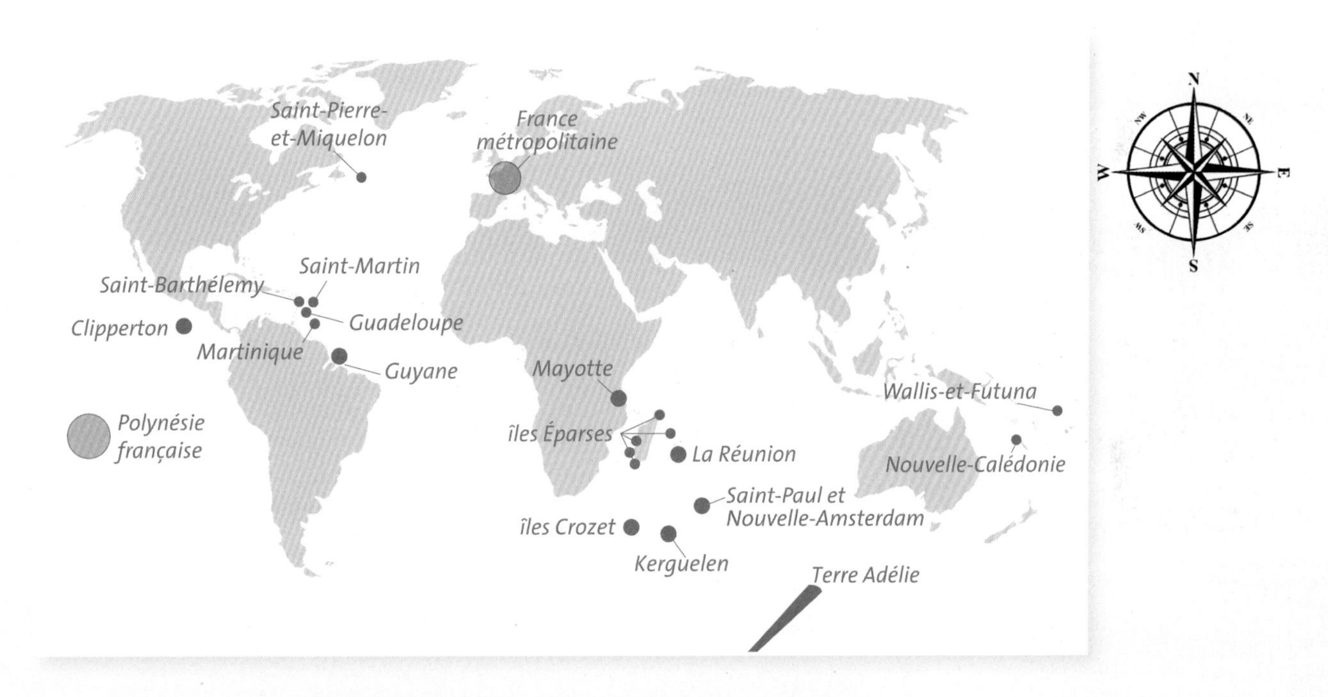

B. Avec ton voisin, crée deux devinettes comme celles de l'activité A pour faire deviner des DROM-COM.

C. Crée une carte mentale avec ces informations pour ces deux DROM-COM. Fais des recherches sur Internet si besoin.

- continent
- paysage
- langues
- climat
- etc.

UNITÉ 4
Ma famille

↑ Bande-annonce de *Lou ! Journal infime* (2014)

↑ Belvedère du Mont-Royal, Montréal

LEÇON 1

Je parle des membres de ma famille et je les décris physiquement

- La famille
- La description physique
- Les possessifs (1) : **mon**, **ma**, **mes** / **ton**, **ta**, **tes** / **son**, **sa**, **ses**

Mini-projet 1

Inventer un nouveau personnage pour une famille de BD connue et le décrire physiquement.

LEÇON 2

Je parle des vêtements

- Les vêtements
- Les verbes **porter** et **mettre**
- Les adjectifs de couleur
- Décrire le style vestimentaire

Mini-projet 2

Présenter le style vestimentaire d'une célébrité.

LEÇON 3

Je parle du caractère des personnes

- Les adjectifs de caractère
- Le genre et le nombre des adjectifs
- Poser des questions
- Les adverbes d'intensité

Mini-projet 3

Imaginer une interview avec un personnage d'une série.

FENÊTRE SUR

Je découvre la série de BD Paul.

PROJET FINAL

CRÉER UN PERSONNAGE DE BD ET SON UNIVERS

Salut! Je m'appelle Max et j'habite à Montréal, la 2e ville du Canada. C'est une ville où 50 % des habitants parlent français. Dans cette unité, on va parler de la famille et on va décrire des personnes.

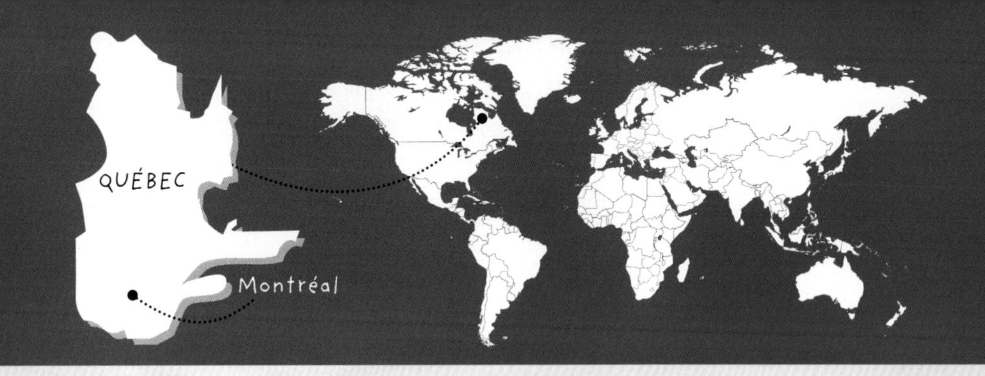

Raphaël
Salut Max ! Tu fais quoi ?
11:12

Max
Salut ! Je suis au belvédère du Mont-Royal avec ma mère, mon frère et mon grand-père !
11:24

Raphaël
Le Mont-Royal ?
11:25

Max
Oui ! C'est une colline de Montréal. Il y a une vue superbe de la ville ! Après, on va au parc Maisonneuve pour faire un pique-nique et plus tard à l'insectarium !
😁 😁 😁 😁
11:26

Raphaël
Tu as de la chance ! Amuse-toi bien !
11:26

En route !

1. Voici des photos de la famille de Max. Qui est qui ?

1

2

3

2. Regarde la vidéo. Comment est la mère de Lou ?

a. Elle est blonde / brune.
b. Elle a des cheveux courts / longs.
c. Elle porte / ne porte pas des lunettes.
d. Elle aime / n'aime pas les chats.
e. Elle aime / n'aime pas le nouveau voisin.

1. LA FAMILLE DE MAX

A Lis ces phrases et complète l'arbre généalogique de la famille de Max avec les mots qui manquent.

1. Max est le **petit-fils** de Pierre.
2. La **femme** de Pierre s'appelle Jo.
3. Éthan est le **demi-frère** de Louis.
4. L'**ex-mari** de Nathalie s'appelle Simon.
5. Nathalie est la **fille** de Pierre.
6. Emma est la **sœur** de Max.
7. Simon est le **père** de Louis.
8. Jo est la **grand-mère** d'Emma.

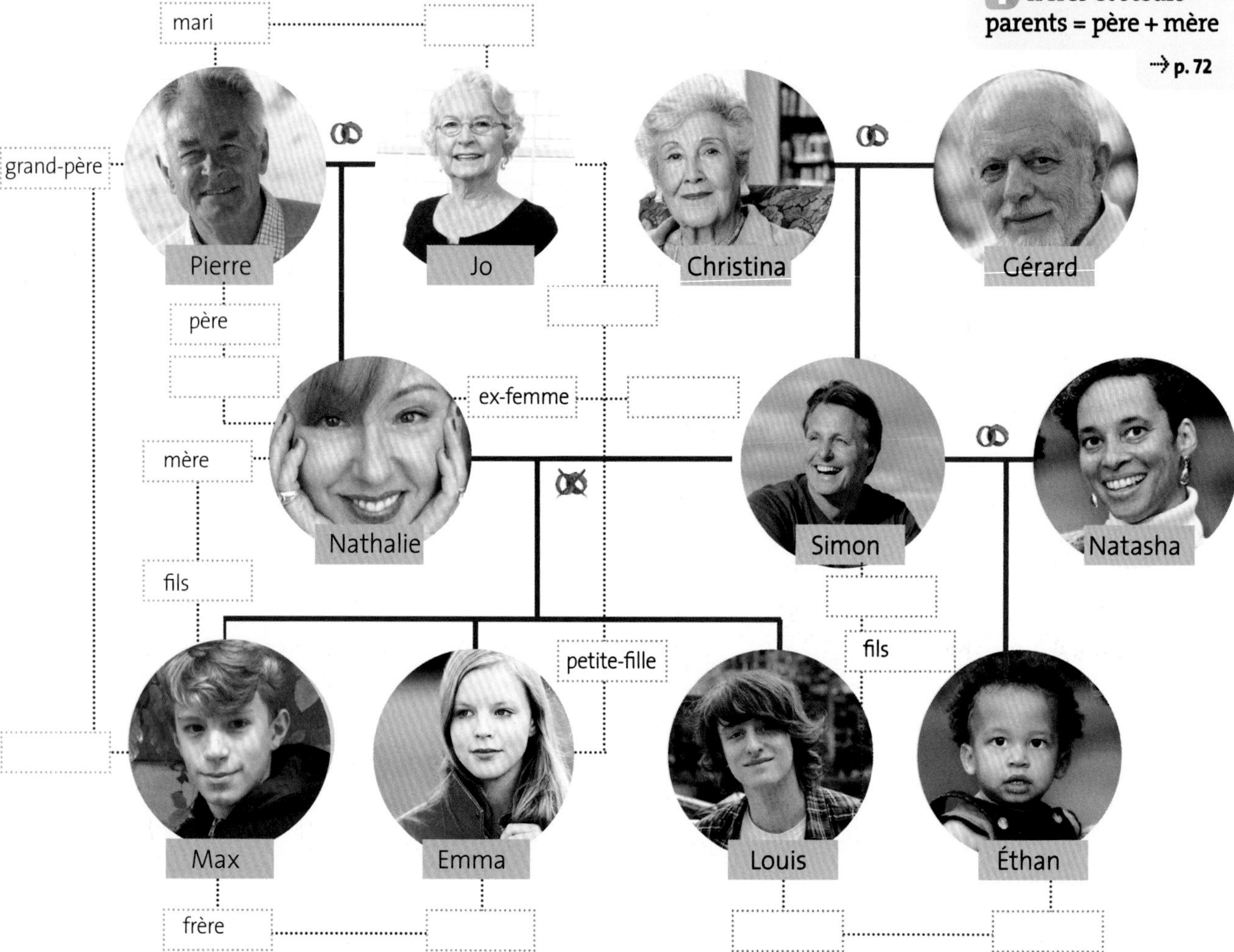

LA FAMILLE

oncle / tante (= le frère / la sœur de ton père ou de ta mère)

cousin / cousine (= le fils / la fille de ton oncle ou de ta tante)

! frères et sœurs
parents = père + mère

→ p. 72

B Piste 26

Écoute Max, qui parle de sa famille avec une amie, et complète ces phrases.

1. Ses parents sont .....
2. Sa sœur a ..... ans.
3. Son frère a ..... ans et son demi-frère a ..... ans.

C Invente une famille en choisissant six personnages célèbres ou de fiction. Présente ta famille à la classe. Deux élèves dessinent l'arbre généalogique sur le tableau. Tout est correct ?

Lady Gaga est ma sœur...

LES POSSESSIFS (1)

	SINGULIER		PLURIEL
	MASC.	FÉM.	MASC. / FÉM.
1 possesseur	mon père	ma mère	mes parents
	ton père	ta mère	tes parents
	son père	sa mère	ses parents

! En français, les possessifs au singulier changent aussi en fonction du genre de ce qui est possédé : **mon père ; ma mère**

→ p. 70

2. ELLE EST BLONDE

A **Lis la description des personnages de la famille Dotcom, de la BD *Silex and the city*, et place leurs prénoms sous leurs portraits.**

1. Il s'appelle Julius. Il a les cheveux blancs et une barbe.
2. Elle s'appelle Spam. Elle est blonde, grosse et elle porte des lunettes.
3. Elle s'appelle Web. Elle est grande, mince et brune, avec les cheveux longs.
4. Il s'appelle Blog. Il est gros et il a les cheveux noirs.
5. Il s'appelle Url. Il est petit et brun. Il a les cheveux longs et noirs.

B **Cherche sur Internet trois de ces personnages de BD francophones. Décris-les physiquement.**

Astérix | Tintin | Spirou | les Schtroumpfs
Obélix | Titeuf | Lucky Luke | Inspecteur Gadget

C **Chacun apporte en classe une photo d'une personne de sa famille. Le professeur colle toutes les photos sur le tableau et les numérote. Chacun décrit la personne de sa famille. Qui trouve la photo ?**

Il s'appelle Paco et c'est mon oncle. Il a 41 ans, il est brun et il a les cheveux frisés.

LA DESCRIPTION PHYSIQUE

Il / Elle est...

petit / petite.

grand / grande.

gros / grosse.

mince.

LES CHEVEUX

Il / Elle est...

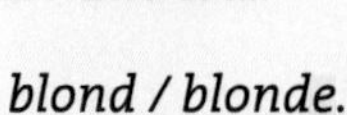

blond / blonde.

brun / brune.

roux / rousse.

Il / Elle a les cheveux longs / courts.

Il / Elle a les cheveux raides / frisés.

→ p. 73

MINI-PROJET 1 : INVENTER UN NOUVEAU MEMBRE DE LA FAMILLE

1. En petits groupes, inventez un nouveau personnage de la famille Dotcom ou d'une autre famille de BD : un oncle, une tante, un cousin...
2. Imaginez son nom et décrivez-le physiquement.
3. Présentez-le à la classe.

Achille Simpson est le frère de Homer Simpson. Il est...

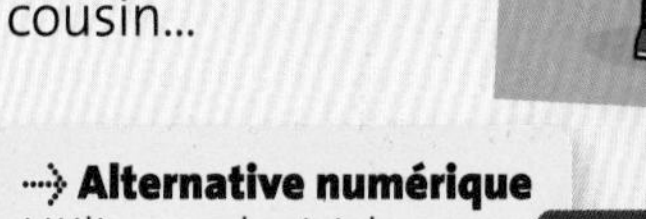

→ Alternative numérique
Utiliser un logiciel pour créer des personnages.

3. JE METS UN JEAN

A Regarde ces vêtements et lis les descriptions. Peux-tu déduire le sens des mots en gras ?

Un **débardeur**, un **jean**, un **pull** rouge, des **boucles d'oreille** et des **baskets**.

Une **veste**, un **pantalon**, **un pull** noir, un **T-shirt**, des **baskets**, des **lunettes de soleil** et une **ceinture**.

Une **robe** à rayures, des **chaussures** rouges, un **bracelet** et un **collier** rouge aussi.

Des baskets, un **short** et un **T-shirt**.

Un **jean**, une **chemise à carreaux** et des **baskets**.

Une **jupe** rose, un **haut** blanc, des **bottes** et un **sac**.

B Classe les vêtements selon ces catégories, puis ajoute deux autres mots dans chaque catégorie.

hauts bas accessoires chaussures

C Qu'est-ce que les personnes suivantes peuvent mettre dans ces situations ?

1. Un garçon de ton âge, pour aller à l'anniversaire de son meilleur ami.
2. Une fille de ton âge, pour aller à l'anniversaire de son meilleur ami.
3. Un garçon de ton âge, pour aller courir avec ses amis au parc.
4. Une fille de ton âge, pour aller au mariage de son grand frère.

1. Il peut mettre le jean, la chemise à carreaux...

METTRE

Je	mets
Tu	mets
Il / Elle	met
Nous	mettons
Vous	mettez
Ils / Elles	mettent

→ p. 70

D Pose ces questions à tes camarades. Comparez vos réponses.

Qu'est-ce que tu mets normalement pour...
- une journée au collège ?
- aller faire du sport ?
- aller à une fête le week-end ?
- aller à un mariage ?

Moi, pour une journée au collège, je mets normalement un jean et un T-shirt.

ASTUCE

On apprend mieux le vocabulaire quand il nous concerne. Fais une liste de tes vêtements préférés ou que tu mets le plus souvent.

4. J'AIME BIEN SON STYLE !

4

A Regarde les photos de Cœur de Pirate et associe les phrases avec la photo qui correspond.

1. Elle porte une robe rose et un sac noir.
2. Elle porte des chaussures noires.
3. Elle porte une veste noire.
4. Elle porte une longue robe bleue.
5. Elle porte un short.
6. Elle porte une blouse blanche.
7. Elle porte un pantalon blanc.

LE SAIS-TU ?
Cœur de Pirate est une chanteuse québécoise née à Montréal en 1989.

DÉCRIRE LE STYLE VESTIMENTAIRE

Il / Elle porte une robe / un pantalon / une veste...
Ça me / te / lui... va bien.
Elle est très élégante / chic...
Il / Elle a un super style !

→ p. 73

LES ADJECTIFS DE COULEUR

	SINGULIER	PLURIEL
MASC.	vert noir bleu blanc	verts noirs bleus blancs
FÉM.	verte noire bleue blanche	vertes noires bleues blanches
MASC. = FÉM.	jaune rose beige	jaunes roses beiges

B Piste 27

Julie et Enzo sont en train de regarder les photos de Cœur de Pirate, écoute le dialogue et dis quelle(s) photo(s) chacun préfère et pourquoi.

C Sur un petit papier, écris un vêtement porté par une personne de la classe, puis mélangez les papiers et retrouvez qui est la personne.

Elle porte un pull rouge.

Vanessa !

MINI-PROJET 2 : UN BLOG DE MODE

1. Cherche sur Internet ou dans un magazine une photo d'une célébrité dont tu aimes bien le style.
2. Écris un texte pour décrire les vêtements qu'elle porte sur la photo et explique pourquoi tu aimes ça.
3. Lis les textes des autres élèves de la classe. Quels sont les styles que tu aimes le plus ?

→ Alternative numérique
Créer un blog ou un magazine avec les textes de toute la classe.

5. LES GRANDS

A Lis ce texte et relève les mots qui décrivent la personnalité des personnages de la série *Les Grands*. Classe-les dans le tableau.

Les grands : les personnages

MJ : MJ est la nouvelle du groupe. Elle est courageuse, rebelle, indépendante et parfois un peu prétentieuse parce qu'elle pense qu'elle est meilleure que les autres. Mais les autres l'admirent beaucoup !

Avril : C'est une jeune fille sensible, un peu timide mais vraiment sympa.

Boogie : C'est le comique du groupe, il est très drôle et il fait rire tout le monde. Il est très ouvert et il se fait des amis facilement. Il est optimiste mais souvent assez égoïste !

ASTUCE

Pour comprendre le sens des mots, aide-toi des autres langues que tu connais.

Qualités	Défauts
courageuse	

B Quelle est ta série préférée et qui est ton personnage préféré ? Présente-le à tes camarades et décris son caractère avec ses qualités et ses défauts.

Ma série préférée est « The Walking Dead ». J'aime bien Negan, il est…

LES ADVERBES D'INTENSITÉ

Il est | *trop timide.* (+)
très timide.
assez timide.
un peu timide.
Il n'est pas du tout timide. (-)

→ p. 71

C Quelles sont tes qualités ? Prends un papier et note-les sur la partie de gauche. Plie le papier en 2 et fais remplir l'autre côté à ton voisin. Ouvre et compare !

Mes qualités	Les qualités de Bea
sincère	indépendante
généreuse	créative
active	drôle

LE GENRE DES ADJECTIFS

MASCULIN	FÉMININ
indépendant	indépendante
méchant	méchante
courageux	courageuse
sympathique	sympathique
égoïste	égoïste
drôle	drôle
timide	timide
sensible	sensible

→ p. 70

D Mettez en commun les adjectifs que vous avez écrits pour l'activité C et faites une affiche avec les adjectifs de caractère de votre classe.

6. QU'EST-CE QUE TU PRÉFÈRES DANS LA SÉRIE ?

A Regardez ce document. De quel type de texte s'agit-il ?

une lettre   une interview   un email

INTERVIEW

Grégoire Montana

Grégoire Montana est un acteur français, qui joue Boogie dans la série *Les Grands.*

Filmographie : *L'Avenir, La Dernière leçon, La Prunelle de mes yeux*

Comment est ton personnage ?
Boogie aime faire des blagues, il est un peu menteur, très extraverti mais aussi assez timide.

Pourquoi ment-il ?
Parce qu'il est très timide et qu'il n'a pas confiance en lui donc il invente des histoires.

Est-ce que tu as des points communs avec Boogie ?
Oui ! Je lui ressemble un peu : mes amis disent que je suis marrant !

Qu'est-ce que tu préfères dans la série *Les Grands* ?
Elle est très réaliste, c'est une bonne description de l'adolescence.

↑ *Les Grands : interview de Grégoire Montana-Haroche*

POSER DES QUESTIONS

- *Comment est Paul ?*
- *Il est très drôle et très sensible.*

- *Pourquoi il ne parle pas ?*
- *Parce qu'il est introverti.*

- *Est-ce que tu aimes ton personnage ?*
- *Oui.*

- *Qu'est-ce que tu préfères de ton personnage ?*
- *J'aime bien son optimisme.*

→ p. 71

B Lis l'interview. Trouve les adjectifs de caractère qu'on peut associer à ces descriptions.

1. Il invente des histoires.
2. Il se fait des amis facilement.
3. Il fait des blagues et il fait rire les gens.

C Ressembles-tu à Boogie ? En quoi ? Connais-tu des personnes qui lui ressemblent ?

MINI-PROJET 3 : INTERVIEW AVEC UN PERSONNAGE

1. À deux, choisissez un personnage d'une série que vous aimez bien.
2. Préparez une interview pour mieux connaître ce personnage : écrivez quatre questions.
3. Imaginez ses réponses.

→ **Alternative numérique**
Publier l'interview sur le réseau social de la classe.

A. Les possessifs (1)

Les adjectifs possessifs expriment un lien d'appartenance. Ils changent de forme en fonction du possesseur, du genre et du nombre de ce qui est possédé.

	SINGULIER		PLURIEL	
	MASCULIN	FÉMININ	MASCULIN	FÉMININ
1 possesseur	mon frère	ma sœur	mes frères et sœurs	
	ton frère	ta sœur	tes frères et sœurs	
	son frère	sa sœur	ses frères et sœurs	

! Devant un nom féminin commençant par une voyelle ou un **h** muet : **ma, ta, sa** → **mon, ton, son.**

Mon ami Afonso est portugais et mon amie Adriana est belge.

1. Remplace les mots en gras par un possessif, comme dans l'exemple.

a. Le chien **de mon père**. → Son chien.
b. Le chien **de ma mère**. →
c. La sœur **de mon père**. →
d. La sœur **de ma mère**. →
e. Les chiens **de mon père**. →
f. Les chiens **de ma mère**. →
g. Les sœurs **de mon père**. →
h. Les sœurs **de ma mère**. →

PHONÉTIQUE

2. Écoute et répète les mots.

Piste 28

a. [ɛ̃] comme dans **cousin** : parr**ain**, chi**en**, T**in**t**in**
b. [ɔ̃] comme dans **mon** : t**on**, s**on**, **on**cle, marr**on**
c. [ɑ̃] comme dans **parents** : **en**fants, bl**an**c, m**an**teau

B. Le genre et le nombre des adjectifs

L'adjectif qualificatif s'accorde en genre et en nombre avec le mot qu'il qualifie.

IL EST...	ELLE EST...	ILS SONT...	ELLES SONT...
timide	timide	timides	timides
petit blond	petite blonde	petits blonds	petite blondes
rêveur	rêveuse	rêveurs	rêveuses
courageux	courageuse	courageux	courageuses
sportif	sportive	sportifs	sportives
manipulateur	manipulatrice	manipulateurs	manipulatrices

! **beau** → **belle, vieux** → **vieille**

3. Réécris le texte en remplaçant *elle* par *il*, puis par *elles*. Fais les transformations nécessaires.

MJ est la nouvelle du groupe. Elle est courageuse, rebelle, indépendante, et parfois un peu prétentieuse parce qu'elle pense qu'elle est meilleure que les autres.

C. Les verbes *porter* et *mettre*

	PORTER	METTRE
JE	porte	mets
TU	portes	mets
IL / ELLE	porte	met
NOUS	portons	mettons
VOUS	portez	mettez
ILS / ELLES	portent	mettent

Mettre un vêtement = s'habiller
Je mets mon manteau et mes bottes pour sortir.

Porter un vêtement = résultat de l'action de s'habiller
Aujourd'hui, il porte un pantalon beige et des chaussures en cuir.

D. Les adjectifs de couleur

La majorité des adjectifs de couleur s'accordent en genre et nombre avec le mot qu'ils qualifient : **jaune, vert, bleu, blanc, noir, rouge, violet** :

Ses yeux sont verts.

Sa jupe est verte.

Les couleurs **marron** et **orange**, et les mots composés **(vert clair, bleu foncé...) sont invariables :**

Mes bottes sont marron.

J'adore les chemises bleu foncé.

4. Regarde ces photos et complète les descriptions avec les adjectifs de couleur qui conviennent. Accorde les adjectifs si nécessaire.

a. une jupe .....
b. un short .....
c. des chaussures .....
d. une robe .....
e. un débardeur .....
f. un sac .....
g. des bottes .....
h. un pull .....

E. Les adverbes d'intensité

Pour indiquer le dégré d'intensité d'un adjectif qualificatif, on utilise :

pas du tout			un peu			assez		très		trop
0	1	2	3	4	5	6	7	8	9	10

Je suis un peu timide.

Je ne suis pas du tout prétentieux.

5. Écris des phrases pour décrire ton caractère en utilisant les adverbes d'intensité.

Je ne suis pas du tout bavarde.

F. Poser des questions : *qu'est-ce que, pourquoi, comment, est-ce que*

Poser une question globale (à laquelle on répond par **oui** ou **non**) :

- *Tu aimes les séries ? = Est-ce que tu aimes les séries ?*
- *Oui, j'adore ça.*

Poser une question partielle sur :

- l'objet : **qu'est-ce que**
  - *Qu'est-ce qu'il porte ?*
  - *Un costume.*
- la manière : **comment**
  - *Comment est ta sœur ?*
  - *Elle est grande et sportive.*
- la cause : **pourquoi**
  - *Pourquoi tu aimes la série* Les Grands *?*
  - *Parce qu'elle est drôle.*

6. Complète les questions suivantes.

a. ● ..... elle préfère comme musique ?
❍ Sa musique préférée, c'est le hard rock.

b. ● ..... est Lucie ?
❍ Elle est un peu solitaire mais très drôle.

c. ● ..... elle aime sortir ?
❍ Oui, elle aime beaucoup aller à des concerts.

d. ● ..... elle s'habille toujours en noir ?
❍ Parce qu'elle adore le style gothique.

A. La description physique

1. Associe les descriptions aux personnages correspondants, puis complète-les.

a. Il est grand, mince. Il a les cheveux ..... et ..... .
b. Il est grand et un peu gros. Il a les cheveux ..... et ..... .
c. Il est petit et mince. Il a les cheveux ..... et ..... .

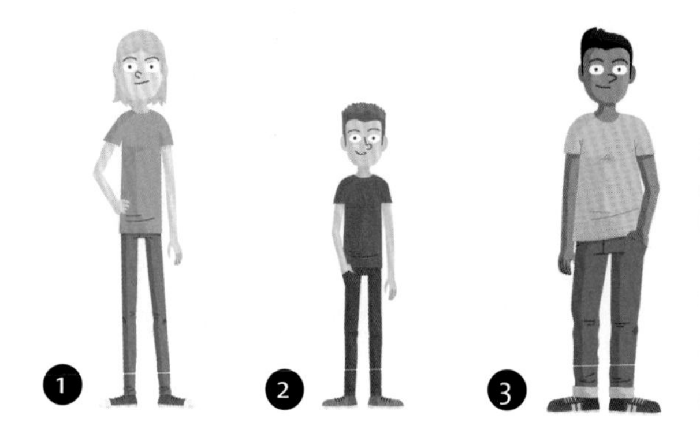

B. Les membres de la famille

2. Résous ces énigmes.

ton | grand-mère | grand-père
ta | oncle | cousin

a. Le fils de ta tante est .....
b. Le père de ta mère est .....
c. Le frère de ton père est .....
d. La mère de ton père est .....

C. Les adjectifs de caractère

3. Complète les phrases suivantes avec des adjectifs.

a. • Ton père aime beaucoup parler.
○ Oui, il est très ..... !
b. • Martin est sympa, mais il est un peu ......
○ Oui, il déteste partager.
c. • Mon frère a peur de parler en public.
○ Oui, il est un peu ....., non ?
d. • Ta sœur est très ......
○ Oui, elle me fait toujours rire.

4. Crée ta carte mentale. Écris les mots que tu veux retenir de cette unité et ajoute des photos et des dessins.

La famille

le père
la mère
le frère / demi-frère
la sœur / demi-sœur
le grand-père
la grand-mère
le cousin
la cousine
l'oncle
la tante
le mari
la femme
le petit-fils
la petite-fille

Le caractère

être...

timide
prétentieux, prétentieuse
sympa(tique)
généreux, généreuse
bavard(e)
colérique
indépendant, indépendante
actif, active
manipulateur, manipulatrice
drôle / marrant(e)
courageux, courageuse
égoïste

sensible

Les vêtements

Décrire le style vestimentaire

Il / Elle porte un T-shirt noir.

Je mets une chemise à carreaux.

Ça me / te / lui... va bien !

Tu es très élégant(e) !

C'est chic !

LA FAMILLE

La description physique

Les cheveux

être...

blond, blonde

brun, brune

roux, rousse

avoir les cheveux...

longs

courts

raides

frisés

La silhouette

être...

petit, petite

grand, grande

gros, grosse

mince

www.fenetresur.fr

FENÊTRE SUR ~ JOURNAL EN LIGNE ~

LA SÉRIE DE BD *PAUL*

Paul est un personnage de bande dessinée créé par Michel Rabagliati. Il habite au Québec, la province francophone du Canada. C'est une œuvre autobiographique : Paul est Michel et, dans ces BD, il nous raconte sa vie, des moments de son enfance et son adolescence, la rencontre avec sa femme, ses enfants…

← Michel Rabagliati

LA FAMILLE DE PAUL

La femme de Paul s'appelle Lucie. Elle adore dessiner et elle a beaucoup d'humour. Paul et Lucie ont une fille adolescente, Rose. Elle joue beaucoup avec ses cousins de Québec.

↑ Lucie, la femme de Paul

↑ Rose, la fille de Paul

1. **Comment est Paul ? Décris-le physiquement et explique comment il est habillé sur les couvertures des BD.**

Sur ce dessin, il porte…

2. **Décris la femme et la fille de Paul.**

3. **Pourquoi *Paul* est une œuvre autobiographique ?**

4. **Regarde cette photo du parc de Mont-Royal. Comment tu dois t'habiller pour y aller ?**

Dans ce numéro, Max nous parle de la série de BD *Paul* et du parcours *Paul à Montréal*.

PARCOURS *PAUL À MONTRÉAL*

Pour le 375e anniversaire de la ville de Montréal, douze images géantes de la bande dessinée *Paul* sont installées dans le quartier du Plateau Mont-Royal, à Montréal. Elles racontent l'histoire de Montréal.

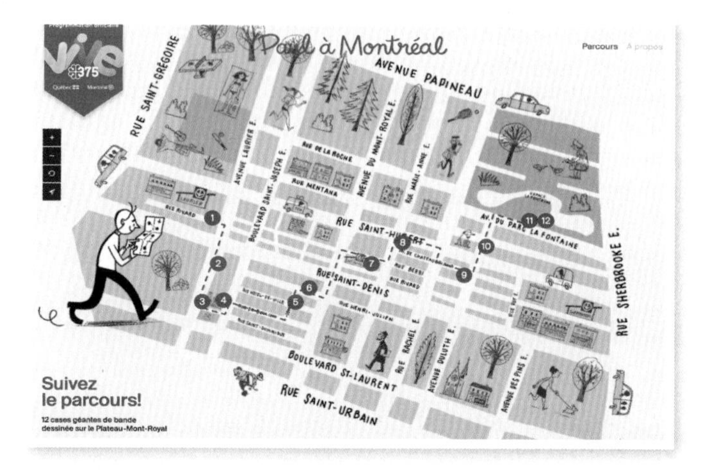

LE PLATEAU MONT-ROYAL

Le Plateau Mont-Royal est un quartier très sympa, qui a beaucoup de charme. Beaucoup d'écrivains et de peintres y vivent.

↑ Le Plateau Mont-Royal

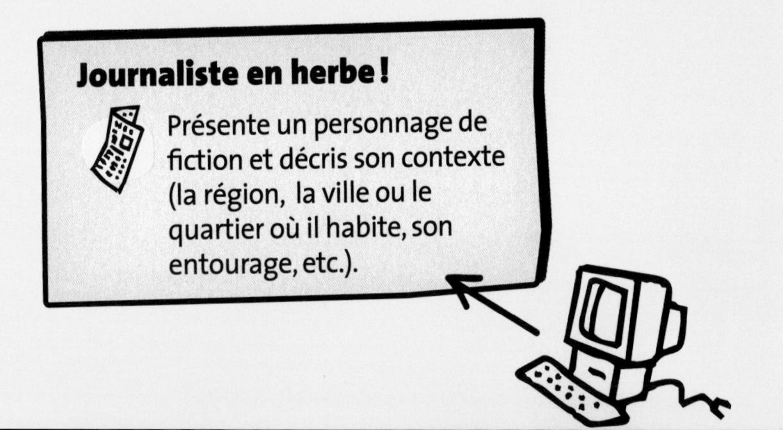

Journaliste en herbe !

Présente un personnage de fiction et décris son contexte (la région, la ville ou le quartier où il habite, son entourage, etc.).

QUESTIONNAIRE CULTUREL

Teste tes connaissances !

Montréal

→ Montréal est :
a. la capitale du Canada.
b. la 2e ville du Canada.
c. une région de Canada.

→ Qu'est-ce que le Plateau Mont-Royal ?

→ Dis le nom d'une chanteuse canadienne née à Montréal. Ces dessins peuvent t'aider.

BD et séries

→ Associe ces personnages à la série à laquelle ils appartiennent.
a. *Paul*
b. *Silex and the city*
c. *Les Grands*

1 

2
3 

Les vêtements

→ Tu reconnais ces vêtements ?

MON PROJET FINAL : **UN PERSONNAGE DE BD**

CRÉER UN PERSONNAGE DE BD ET SON UNIVERS

1. En groupes, créez votre personnage et quelques membres de sa famille. Notez vos idées.

Pour chaque personnage :
- Prénom, nom, âge, endroit où il habite
- Apparence physique
- Style vestimentaire
- Caractère

2. Dessinez les personnages et décrivez-les en quelques lignes. Vous pouvez les présenter sur une page de magazine ou un blog.

⇢ Alternative numérique
Utiliser un logiciel pour créer des personnages de BD.

Voici la famille Touvert ! La grand-mère, Loulou, a les cheveux blancs et porte des lunettes. Elle adore la photographie. Les parents sont Lili et Fifi. Lili, la mère, est blonde et aime beaucoup lire. Fifi, le père, a les cheveux verts et il est musicien. Ils ont trois enfants : Ari, Zoé et Titi. Zoé et Titi adorent le sport, surtout le baseball. Ils portent une casquette blanche et rouge ; et Zoé a un T-shirt blanc et rouge aussi. Ari est comme son père et adore la musique. Il a les cheveux longs et porte un T-shirt noir.

DNL En classe d'arts plastiques

4

La peinture moderne et le fauvisme

Le fauvisme est un courant artistique né en France au début du XXe siècle. Son principal précurseur est Henri Matisse. Les tableaux fauvistes se caractérisent par leurs couleurs pures et voyantes.

A. Observe ces deux portraits et décris-les.

1. Décris ces deux femmes. Quels vêtements portent-elles ?
2. Comment imagines-tu leur caractère ?

↑ *La femme au chapeau* (1905), Matisse

↑ *Portrait de femme* (1939), Matisse

B. Pour chacun des tableaux de l'activité A, indique les couleurs dominantes.

C. Observe ce tableau et indique de quelle couleur sont les objets que tu y vois.

← *La desserte rouge* (1908), Matisse

D. Réalise une nature morte. Suis ces étapes.

1. Décide de la couleur dominante de ton tableau ou dessin. Cette couleur représentera le fond de ton tableau, mais aussi la couleur dominante de tes objets.
2. Découpe un motif d'un tableau de Matisse que tu aimes bien et colle-le.
3. Découpe des objets ou motifs dans un magazine et utilise-les pour ton tableau.
4. Complète ton collage avec des crayons de couleur ou de la peinture.
5. Donne un titre à ta nature morte.

UNITÉ 5
Le collège

↑ *La Journée d'un collégien*, Tout le Bas-Rhin (2013)

↑ Cirque de Salazie (la Réunion)

LEÇON 1

Je parle de mon emploi du temps

- Les matières
- Indiquer l'heure
- **Quel**, **quelle**, **quels**, **quelles**
- Les moments de la journée

Mini-projet 1

Imaginer l'emploi du temps d'un vampire au collège.

LEÇON 2

Je parle de mon collège

- Les lieux du collège
- **Il y a**, **il n'y a pas**
- La conjonction **mais**
- Les possessifs (2) : **notre**, **nos**, **votre**, **vos**, **leur**, **leurs**

Mini-projet 2

Présenter mon collège, mes amis et mes professeurs.

LEÇON 3

Je parle des sports et des activités extrascolaires

- Les sports et les activités extrascolaires
- Les verbes **faire** et **jouer**
- Les articles contractés
- La conjonction **avec**

Mini-projet 3

Créer une affiche de nos loisirs et nos activités extrascolaires.

FENÊTRE SUR

Je découvre les paysages et les sports qu'on peut faire à la Réunion.

PROJET FINAL

INVENTER LE COLLÈGE IDÉAL

Bonjour! Moi, c'est Mélissa. J'habite à Saint-Denis, à la Réunion. Dans cette unité, je vais vous présenter mon collège.

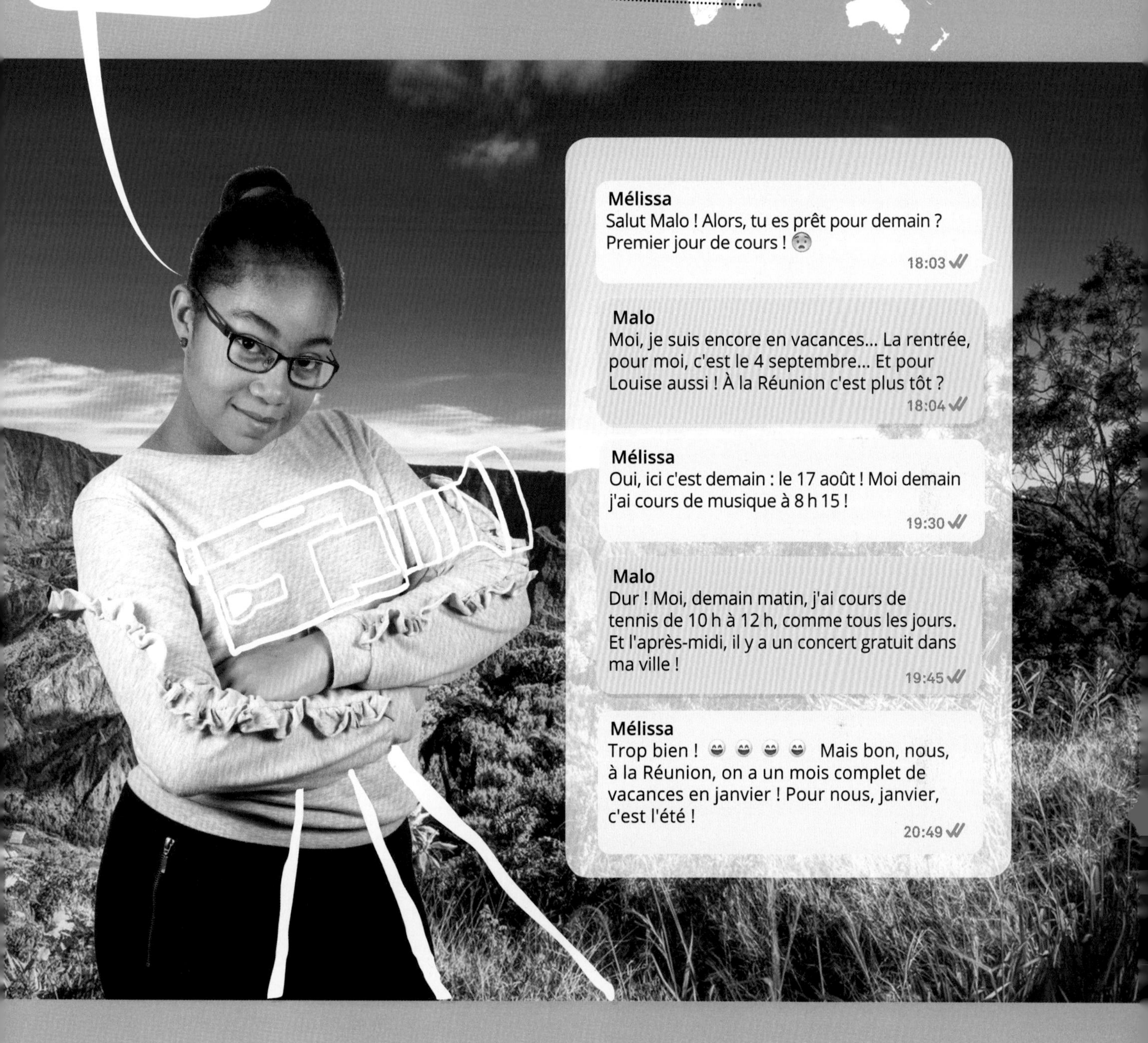

Mélissa
Salut Malo ! Alors, tu es prêt pour demain ? Premier jour de cours ! 😨
18:03

Malo
Moi, je suis encore en vacances... La rentrée, pour moi, c'est le 4 septembre... Et pour Louise aussi ! À la Réunion c'est plus tôt ?
18:04

Mélissa
Oui, ici c'est demain : le 17 août ! Moi demain j'ai cours de musique à 8 h 15 !
19:30

Malo
Dur ! Moi, demain matin, j'ai cours de tennis de 10 h à 12 h, comme tous les jours. Et l'après-midi, il y a un concert gratuit dans ma ville !
19:45

Mélissa
Trop bien ! 😁 😁 😁 😁 Mais bon, nous, à la Réunion, on a un mois complet de vacances en janvier ! Pour nous, janvier, c'est l'été !
20:49

En route !

1. Lis les messages et regarde ces calendriers. Qu'est-ce que Mélissa et Malo ont ces jours-là ?

Calendrier de Mélissa

Calendrier de Malo

2. Regarde la vidéo et coche les lieux que tu y vois.

le self — la salle de permanence — la salle de sports — le CDI — le laboratoire — l'infirmerie — la salle de cours — la salle des profs — la cour de récréation

1. IL EST QUELLE HEURE À LA RÉUNION ?

A Regarde ces villes de la francophonie et les horloges puis complète les heures qui manquent.

Saint-Denis, la Réunion	Tunis, Tunisie	Montréal, Québec
14:02 Il est deux heures deux.	11:02	05:02 .....
15:15 Il est trois heures et quart.	12:15	... : ... .
16:30 Il est quatre heures et demie.	13:30	... : ... .
19:55 Il est huit heures moins cinq.	16:55	... : ... .

L'HEURE

Quelle heure est-il ? / Quelle heure il est ?

8 h 10 : *Il est huit heures dix.*

8 h 15 : *Il est huit heures et quart.*

8 h 30 : *Il est huit heures et demie.*

8 h 45 : *Il est neuf heures moins le quart.*

8 h 50 : *Il est neuf heures moins dix.*

→ p. 87

B Par équipes, préparez 5 cartes comme celle-ci. Posez les questions à l'autre équipe, qui doit trouver la réponse.

Quelle heure il est à Tokyo ?
a) 21 h 02
b) 10 h 02
c) 04 h 02

2. J'AI QUATRE HEURES DE SPORT !

A Observe ce document. Associe les matières et les abréviations utilisées par les élèves.

1. histoire-géo 
2. maths  
3. techno
4. physique  
5. musique
6. SVT 
7. EPS 
8. Arts plastiques 
9. LV1 
10. EMC 

À CHAQUE CLASSE SON EMPLOI DU TEMPS

6e	
Français	4 h 30
Mathématiques	4 h 30
Histoire - géographie Enseignement moral et civique	3 h
Langue vivante 1	4 h
Langue vivante 2	-
Sciences de la vie et de la Terre Sciences physiques Technologie	4 h
Éducation physique et sportive	4 h
Arts plastiques	1 h
Éducation musicale	1 h

B Compare avec ton pays. Vous avez les mêmes matières ? Vous avez le même nombre d'heures par matière ?

Nous aussi, nous avons quatre heures d'EPS par semaine.

LE SAIS-TU ?

En France, à partir de la 6e, les élèves ont 4 heures de LV1 par semaine. Très souvent, la LV1 est l'anglais.

À la Réunion, on peut étudier le créole en option.

3. MON EMPLOI DU TEMPS

Piste 29

A Mélissa parle avec sa mère. Écoute-la et complète son emploi du temps.

	Lundi	Mardi	Mercredi	Jeudi	Vendredi
8h15-9h10	Éducation musicale			EPS	Mathématiques
9h15-10h10	Mathématiques	LV1	Technologie		Permanence
10h25-11h20	LV1	Mathématiques		Vie de classe	Physique-chimie
11h25-12h20				LV1	
PAUSE DÉJEUNER					
13h45-14h40	Français			Arts plastiques	Français
14h45-15h40				SVT	
15h55-16h50		Histoire-géographie			

PARLER DE SES COURS

J'ai cours de français de 9 h à 10 h.

Nous avons 4 h de sport par semaine.

QUEL(S), QUELLE(S)

Quel est ton jour préféré ?

En quelle classe tu es ?

Quels jours tu as français ?

Tu as quelles matières le mercredi matin ?

→ p. 86

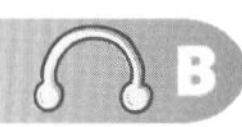

Piste 29

B Écoute de nouveau le dialogue. Réponds vrai / faux et corrige les phrases fausses.

a. Mélissa adore le mercredi.
b. Sa matière préférée, c'est l'histoire-géo.
c. Le vendredi, après le français, elle a cours de théâtre.
d. Elle déteste le sport.

ASTUCE

Quand on cherche des informations très précises, on fait une écoute sélective. Ce n'est pas nécessaire de comprendre tous les mots qu'on entend.

C Par deux, pensez à votre emploi du temps : l'un dit un jour et un horaire, et l'autre retrouve la matière le plus vite possible.

• Le mercredi de 10 h 30 à 11 h 20...
○ Nous avons cours de maths !

LE SAIS-TU ?

En France, les collégiens ont cours 4 jours et demi par semaine.
Ils ont cours le mercredi matin mais pas le mercredi après-midi.

MINI-PROJET 1 : L'EMPLOI DU TEMPS D'UN VAMPIRE

1. En groupes, imaginez l'emploi du temps d'un vampire. D'abord, faites une liste des matières qui peuvent intéresser un vampire. Vous pouvez les inventer.

2. Ensuite, faites son emploi du temps. Souvenez-vous : les vampires dorment le jour et vivent la nuit !

3. Présentez votre emploi du temps aux autres groupes.

Le lundi, il a cours d'anatomie à 22 h.

4. Vous votez : quel est l'emploi du temps le plus original ?

→ **Alternative numérique**
Créer l'emploi du temps en ligne avec Canva.

4. DANS MON COLLÈGE, IL Y A...

A Voici un dessin du collège de Mélissa. Observe-le et dis si les phrases sont vraies ou fausses.

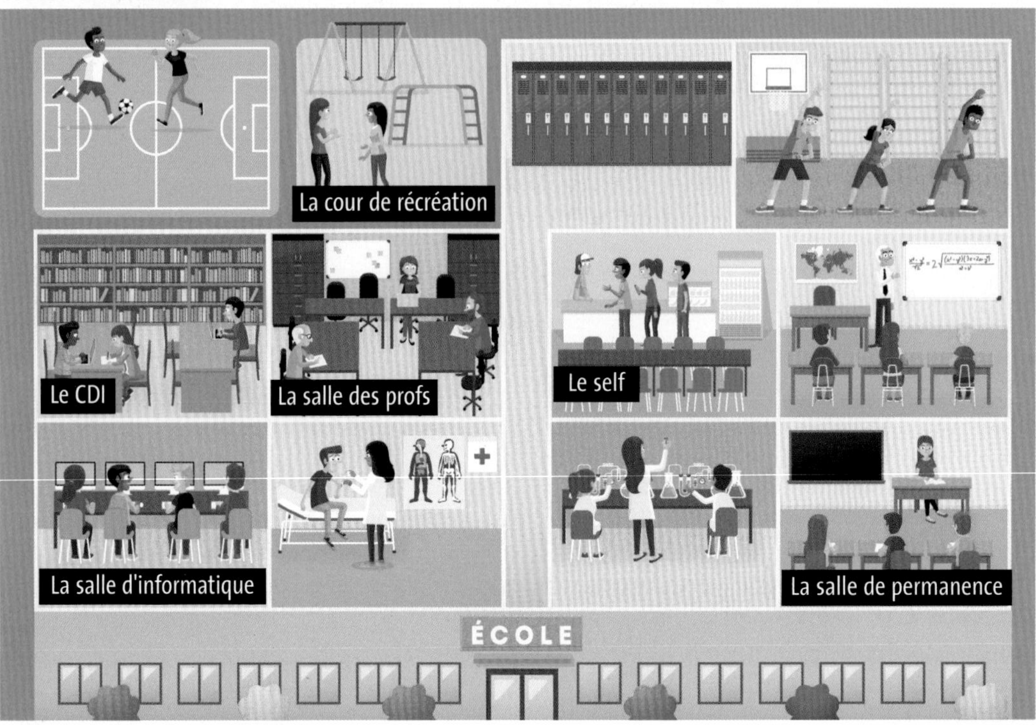

a. Il y a une piscine.
b. Il n'y a pas d'ordinateurs.
c. Il y a un laboratoire.
d. Il n'y a pas de bibliothèque.
e. Il y a une salle de sports.
f. Il y a un jardin.
g. Il n'y a pas de casiers.
h. Il y a une infirmerie.

IL Y A, IL N'Y A PAS DE

Il y a **un** *jardin.*
Il y a **une** *piscine.*
Il y a **des** *casiers.*
Il n'y a pas **de** *jardin.*
Il n'y a pas **de** *casiers.*
Il n'y a pas **d'***ordinateurs.*

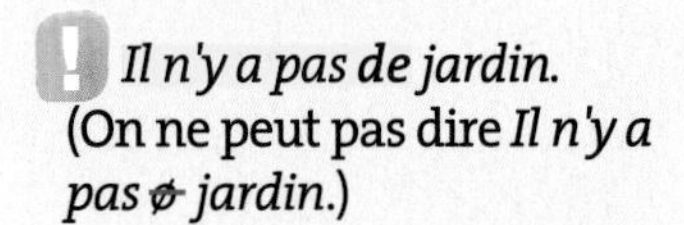
Il n'y a pas de jardin.
(On ne peut pas dire *Il n'y a pas ~~ø~~ jardin.*)

→ p. 86

B Jeu de mimes. Écrivez les lieux du collège sur des papiers. Faites deux groupes. Un élève pioche un papier et fait deviner à son groupe le lieu du collège en faisant des mimes.

Piste 30

C Écoute le dialogue entre Mélissa et Enzo, son cousin, et dis à qui correspondent les informations suivantes.

	Mélissa	Enzo
a. Il / Elle est en 6e C.		
b. Il / Elle est en 6e D.		
c. Ses meilleurs amis sont dans sa classe.		
d. Il n'y a pas de casiers dans son collège.		
e. Il n'y a pas de jardin dans son collège.		
f. Il y a un gymnase dans son collège.		
g. Il n'y a pas de piscine dans son collège.		

LA CONJONCTION MAIS

Il n'y a pas de piscine dans mon collège, ***mais*** *on va à la plage pour nager.*

D Imagine le collège du futur. Dessine-le et présente-le à tes camarades.

5

5. MON COLLÈGE, MA VIE, MES AMIS

A Mélissa présente son nouveau collège. Lis sa présentation et complète le tableau.

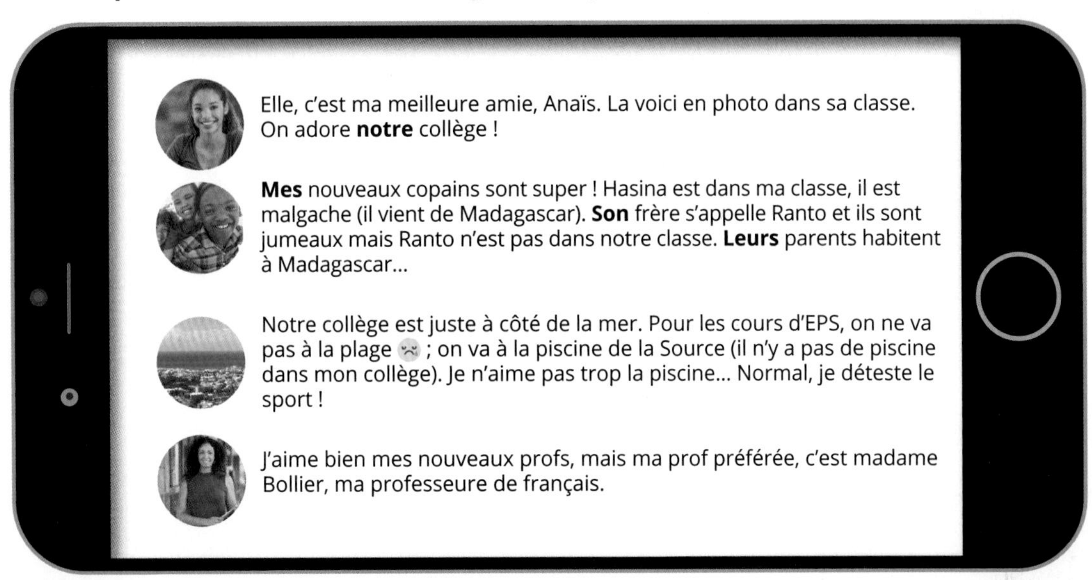

Elle, c'est ma meilleure amie, Anaïs. La voici en photo dans sa classe. On adore **notre** collège !

Mes nouveaux copains sont super ! Hasina est dans ma classe, il est malgache (il vient de Madagascar). **Son** frère s'appelle Ranto et ils sont jumeaux mais Ranto n'est pas dans notre classe. **Leurs** parents habitent à Madagascar...

Notre collège est juste à côté de la mer. Pour les cours d'EPS, on ne va pas à la plage ; on va à la piscine de la Source (il n'y a pas de piscine dans mon collège). Je n'aime pas trop la piscine... Normal, je déteste le sport !

J'aime bien mes nouveaux profs, mais ma prof préférée, c'est madame Bollier, ma professeure de français.

son collège — la piscine — le sport — ses nouveaux profs — sa prof de français

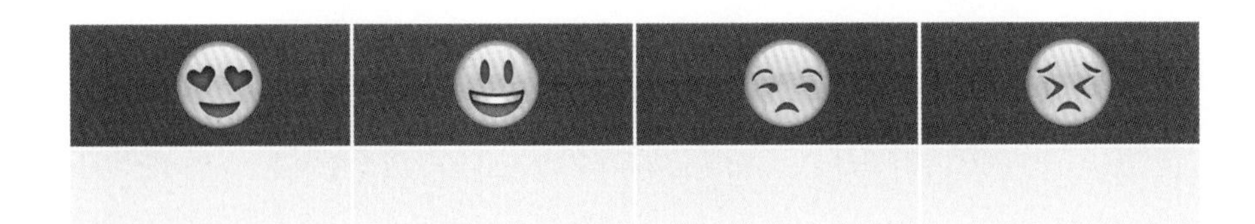

LES POSSESSIFS (2)

	SINGULIER		PLURIEL	
	MASC.	FÉM.	MASC.	FÉM.
plusieurs possesseurs	notre ami votre ami leur ami		nos amis vos amis leurs amis	

En français, les possessifs des 3e personnes du singulier et du pluriel sont différents !
À lui / elle : **son**, **sa** (singulier), **ses** (pluriel)
À eux / elles : **leur** (singulier), **leurs** (pluriel)

→ p. 86

B À qui correspondent les adjectifs suivants ?

a. **Notre** collège : Le collège de Mélissa et Anaïs.
b. **Mes** nouveaux copains : Les nouveaux copains de .....
c. **Son** frère : Le frère de .....
d. **Leurs** parents : Les parents de .....

C Et toi ? Aimes-tu ton collège et tes nouveaux profs ?

MINI-PROJET 2 : MON COLLÈGE

1. Prépare une présentation de ton collège. D'abord, fais une liste des choses que tu adores, que tu aimes bien ou que tu n'aimes pas.
2. Cherche des photos pour illustrer ce que tu veux présenter.
3. Décide le format de ta présentation et écris des commentaires pour chaque photo.
4. En groupes, regardez les présentations de vos camarades : quelles sont les différences ? Commentez-les.

→ Alternative numérique
Utiliser un programme pour faire ta présentation.

Nous adorons tous notre prof de français !

6. LA SEMAINE DU SPORT, C'EST SUPER !

A **Regarde le programme de la Semaine du sport du collège de Mélissa. Associe les noms des sports aux photos.**

LA SEMAINE DU SPORT

AU COLLÈGE JULES REYDELLET

Venez découvrir pendant une semaine un nouveau sport !

DU 12 AU 16 JUIN 2017

football • escalade • badminton • tennis de table • natation • volley-ball • judo • VTT • basket • tennis

1

2

ASTUCE

Associer les mots avec des images peut t'aider à les retenir.

LES ARTICLES CONTRACTÉS

de + le = du
à + le = au
à + les = aux

→ p. 87

B **Lis les phrases suivantes et entoure celles qui te correspondent.**

a. Je joue au football.
b. Je fais de l'escalade.
c. Je joue au badminton.
d. Je joue au tennis de table.
e. Je fais de la natation.
f. Je joue au volley-ball.
g. Je fais du judo.
h. Je fais du VTT.
i. Je joue au basket.
j. Je joue au tennis.

LE SPORT

Je fais du sport.
Je fais de la natation.
Je fais de l'escalade.

Je joue au tennis.
Je joue à la pétanque.
Je joue aux échecs.

→ p. 89

C **Quelles activités tu fais après l'école ou le week-end ? Échange avec un(e) camarade.**

Je fais du théâtre.

Je joue de la trompette / de la guitare / du piano...

Je fais de la danse.

Je fais du yoga.

Je joue aux cartes.

LA MUSIQUE

Je fais de la musique.
Je joue du piano.
Je joue de la guitare.
Je joue de l'accordéon.

→ p. 88

7. JE FAIS DU SPORT TOUS LES JOURS

A Ces élèves parlent de leurs activités extrascolaires. Lis leurs témoignages et dis à quel(s) jeune(s) correspondent les affirmations suivantes.

a. ..... et ..... font une activité trois fois par semaine.
b. ....., ... et ..... font une activité une fois par semaine.
c. ..... et ..... ne font jamais ou presque jamais de sport.
d. ..... et ..... font du sport tous les jours ou presque tous les jours.

Matthias

Moi, je fais du sport tous les jours, j'adore ça ! Le mardi, le jeudi et le vendredi, je joue au foot et, les autres jours de la semaine, je vais à la salle de sports.

Maya

Moi, personnellement, je ne fais jamais de sport, je préfère jouer du piano (j'ai cours de piano trois fois par semaine).

Léonard

Je fais du badminton au collège une fois par semaine et, le week-end, je fais du VTT, c'est trop bien !!!

Lilou

Moi, j'adore le sport ; je joue au basket tous les jours, sauf le mercredi : je fais de la danse.

Corentin

Le sport, c'est nul ! Moi, je fais du théâtre, le mercredi et le samedi, du dessin le jeudi soir et je joue aux échecs tous les week-ends avec mon frère... Le seul sport que j'aime bien c'est le yoga. Ma mère fait du yoga le dimanche matin et parfois je vais avec elle.

B Quel(lle) élève te ressemble le plus ? Pourquoi ?

Moi, je suis comme Lilou : j'adore le sport ! Je fais du sport tous les jours.

C Quelles activités font les gens que tu connais ?

Mon frère chante dans une chorale et...

ALLER

Je	vais
Tu	vas
Il / Elle	va
Nous	allons
Vous	allez
Ils / Elles	vont

Je vais à la salle de sports.

Je vais au collège.

→ p. 87

LA FRÉQUENCE

(Presque) Tous les jours

Une / deux... fois par semaine / mois...

Le lundi / week-end...

Le lundi matin / après-midi / soir...

! le lundi = tous les lundis

lundi matin = le matin de lundi suivant

→ p. 88

LA CONJONCTION AVEC

Je vais avec ma mère au yoga.

MINI-PROJET 3 : **NOS LOISIRS**

1. Par groupes, faites une liste des loisirs et des activités extrascolaires que vous faites.

Moi, je fais du théâtre...

2. Pensez à ce que vous avez en commun et donnez un nom à votre groupe.

"Les artistes" ? Parce que Lucas joue du piano, Elsa fait du théâtre...

3. Créez une affiche pour présenter votre groupe à la classe.

→ **Alternative numérique**
Présenter vos loisirs sur un mur interactif ou Instagram.

A. L'interrogation : *quel(s) / quelle(s)*

	MASCULIN	FÉMININ
SINGULIER	quel professeur	quelle matière
PLURIEL	quels professeurs	quelles matières

! La prononciation est identique [kɛl], mais l'orthographe et différente.

Quel(s) / Quelle(s) permet de demander des informations, des précisions sur un nom. Il existe deux constructions possibles :

- **Quel(s) / Quelle(s)** + nom :

Quelles matières tu préfères ?

- **Quel(s) / Quelle(s)** + **être** + groupe nominal :

Quelles sont tes matières préférées ?

1. **Complète ces questions avec *quel, quelle, quels, quelles*.**

a. ..... est ton sport préféré ?

b. ..... heure est-il chez toi ?

c. ..... jours tu as cours de français ?

d. Dans ..... salle tu as cours de français ?

e. ..... sont tes activités préférées ?

f. ..... jour de la semaine tu détestes le plus ?

2. **Réponds aux questions de l'activité 1.**

3. **Écris quatre questions avec *quel, quelle, quels, quelles*.**

B. *Il y a, il n'y a pas*

Il y a indique la présence de quelqu'un ou de quelque chose. **Il n'y a pas** indique l'absence de quelqu'un ou de quelque chose.

! Avec **il n'y a pas** : **un, une, des** → **de**.

Dans mon collège, il y a une cour, mais il n'y a pas de piscine.

4. **Fais la liste de ce qu'il y a et de ce qu'il n'y a pas dans ton collège.**

cour de récréation **cantine**
salle de spectacles **arbres**
table de ping-pong **casiers**

C. Les possessifs (2)

		SINGULIER masc.	SINGULIER fém.	PLURIEL masc.	PLURIEL fém.
plusieurs possesseurs	à nous	notre copain		nos copains	
	à vous	votre frère		vos frères	
	à eux / elles		leur sœur		leurs sœurs

5. **Complète avec l'adjectif possessif qui convient.**

a. C'est la copine **de Juan et Luisa**. → C'est ..... copine.
b. Ce sont les cousins **de Sebastian et moi**. → Ce sont ..... cousins.
c. Ce sont les amis **d'Élisabeth et Christina**. → Ce sont ..... amis.
d. C'est le frère **de Michela et toi**. → C'est ..... frère.

6. **Choisis le possessif qui convient.**

a. Laurent et Pascale avec **ses** / **leurs** enfants, Léa et Martin.

b. Mes amis Paul et Noah avec **leur** / **leurs** chien.

c. Nous avec **notre** / **nos** frère aîné !

d. Julie et moi, et **notre** / **nos** amis de vacances.

e. Philippe, Laurence et **leur** / **leurs** fils, Sam.

f. Voici **notre** / **nos** collège et **notres** / **nos** profs.

D. Les verbes *faire* et *jouer*

FAIRE	JOUER
Je f**ais**	Je jou**e**
Tu f**ais**	Tu jou**es**
Il / Elle f**ait**	Il / Elle jou**e**
Nous f**aisons**	Nous jou**ons**
Vous f**aites**	Vous jou**ez**
Ils / Elles f**ont**	Ils / Elles jou**ent**

Pour dire le sport ou l'activité qu'on pratique :

- **Faire de** + article défini + nom (le sport ou l'activité)

Il fait de la natation. / Elles font du théâtre.

- **Jouer à** + nom (le sport de balle et de ballon, ou le jeu)

Ils jouent au basket mais pas au handball.
Nous jouons aux échecs.

- **Jouer de** + nom (l'instrument de musique)

Je joue du tambour et des castagnettes.

! Les prépositions **à** et **de** suivies de **le** ou **les** s'unissent aux articles définis pour former les articles contractés.

à + le	**au**	*Je joue au football.*
à + les	**aux**	*On joue aux échecs.*
de + le	**du**	*Nous faisons du tennis de table.*
de + les	**des**	*J'aime faire des excursions.*

7. Anaïs fait beaucoup d'activités. Complète les phrases avec les verbes qui manquent (*jouer à*, *faire de* et *jouer de*).

a. Elle ..... trompette.
b. Elle aime ..... cartes.
c. Elle ..... sport le week-end.
d. Elle ..... danse le mardi et le jeudi.

PHONÉTIQUE

On fait la liaison entre un article ou un déterminant et un nom quand l'article ou le déterminant se termine par **–s** ou **–x** (**les**, **des**, **aux**, etc.) et que le nom commence par une voyelle ou un **–h** muet.

Je joue aux échecs.

! On fait aussi la liaison avec les possessifs **nos**, **vos**, **leurs**, **mes**, etc.

Nos amis sont belges.

8. Écoute et marque les liaisons que tu entends.

Piste 31

a. Tu habites aux États-Unis ?
b. Il étudie les arts plastiques.
c. Il aime faire des achats.

E. Le verbe *aller*

ALLER	
Je **vais**	Nous **allons**
Tu **vas**	Vous **allez**
Il / Elle **va**	Ils / Elles **vont**

! *Je vais au collège tous les jours.*

9. Réponds aux questions sur les endroits du collège.

a. Où va-t-on pour nager ? → à la piscine
b. Où va-t-on pour étudier ? →
c. Où va-t-on pour faire des expériences ? →
d. Où va-t-on pour manger ? →

F. Indiquer l'heure

Pour indiquer l'heure : **Il est** + nombre + heure(s)

! **Il est** ne s'accorde pas en nombre.

Il est une heure. / Il est deux heures.

! 00:00 *Il est minuit.* / 12:00 *Il est midi.*

10. Regarde l'emploi du temps de Mélissa (p. 81) et dit à quelle heure...

a. Mercredi : Elle finit son cours de technologie.
b. Vendredi : Elle commence son cours de français.
c. Mardi : Elle commence son cours de LV1.

MA CARTE MENTALE

A. La fréquence

Quand on précise à quelle fréquence se répète une action, on peut insister sur :

• La régularité :

Tous les + jours / matins / après-midis...

Tous les + lundis / mardis... + matin / après-midi / soir...

Toutes les semaines

• L'habitude: **Le** + jour de la semaine

• Le nombre de fois : **Une / deux / trois fois par jour / semaine / mois...**

1. Avec quelle fréquence as-tu ces cours et fais-tu ces activités ? Complète les phrases.

a. J'ai cours de français .....
b. J'ai cours d'éducation physique et sportive .....
c. J'ai cours de mathématiques .....
d. Je vais au cinéma .....
e. Je cuisine .....
f. Je vais chez mes grand-parents / cousins / oncles / tantes .....

B. Les matières scolaires

2. Cite des matières ou activités qu'on peut faire dans les lieux suivants.

a. le laboratoire
b. le CDI
c. la cour de récréation
d. la salle d'informatique
e. la salle de sports

3. Remets les lettres dans l'ordre pour retrouver les matières scolaires ou les activités extra-scolaires.

a. NTOINATA
b. DUJO
c. ARETHTE
d. LEDASEAC
e. LOIGEHNCETEO
f. ÇASINARF

4. Crée ta carte mentale. Écris les mots que tu veux retenir de cette unité et ajoute des photos et des dessins.

Les lieux du collège

le self = la cantine 

 l'infirmerie

la cour de récréation 

 la salle des profs

le laboratoire 

 le CDI (Centre de Documentation et Information)

la salle de sports 

 la salle d'informatique

 la salle de permanence

LE COLLÈGE

Le sport

 Je fais de l'escalade.

Je joue au football. 

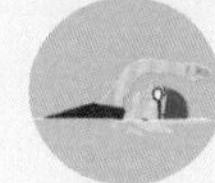 Je fais de la natation.

Je joue au badminton. 

 Je fais du judo.

Je joue au tennis de table. 

 Je fais du VTT.

Je joue au rugby. 

 Je fais de la danse.

Je joue au basket. 

 Je fais du yoga.

Je joue au tennis.

 Je fais de la gym.

FENÊTRE SUR ~ JOURNAL EN LIGNE ~

LA RÉUNION, UN DROM

L'île de la Réunion est un département français d'outre-mer (DROM) située dans l'océan Indien, à l'est de Madagascar. Un DROM, c'est une région qui fait partie de la France, mais qui est loin de l'Europe. C'est une ancienne colonie française.

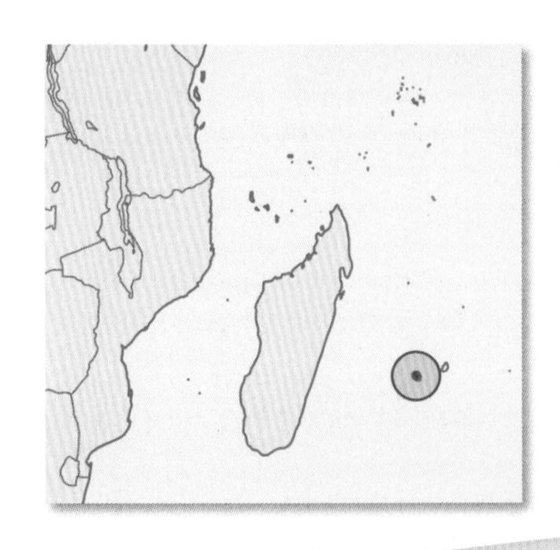

LES PAYSAGES DE LA RÉUNION

Il y a deux volcans sur l'île de la Réunion : le Piton des Neiges (inactif) et le Piton de la Fournaise (en activité). C'est une île magnifique : il y a des forêts, des plages de sable blanc, la mer, des montagnes...

↑ Cirque de Mafate

↑ Piton de la Fournaise

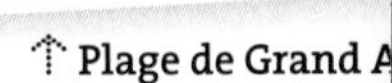

↑ Plage de Grand A

1. Vrai ou faux ? Corrige ces phrases.

- **a.** La Réunion ne fait pas partie de la France.
- **b.** À la Réunion, il y a de très beaux paysages : il y a la mer et la montagne.
- **c.** On peut faire des sports de plein air toute l'année parce qu'il ne fait jamais froid.
- **d.** À la Réunion, on peut pratiquer des sports extrêmes.

2. Associe les sports évoqués dans le texte aux photos sur la carte.

3. Tu aimes les sports présentés ? Quel sport préfères-tu ? Pourquoi ?

Moi, j'aime beaucoup la plongée parce que j'adore regarder les poissons.

Dans ce numéro, Mélissa nous parle des sports qu'on peut faire à la Réunion.

LES SPORTS À LA RÉUNION

On peut faire plein de sports à la Réunion. Quand il fait beau, sur la plage, on peut jouer au beach-tennis. Et ce qui est bien, c'est qu'il fait beau toute l'année !

Si on aime la mer, on peut faire du surf, nager avec les dauphins, faire de la plongée... Et la mer est toujours chaude, entre 24 et 28 degrés !

Pour les plus sportifs, dans les montagnes, on peut faire de la randonnée ou du VTT.

Enfin, les amateurs de sensations fortes peuvent faire du deltaplane ou du parapente.

Journaliste en herbe !

Écris un petit article pour présenter les sports originaux qu'on peut faire dans ta région. Illustre-le avec des photos ou des dessins.

QUESTIONNAIRE CULTUREL

Teste tes connaissances !

Le collège en France

→ Quel jour de la semaine les élèves n'ont pas cours l'après-midi ?

→ La rentrée en France métropolitaine est plus tôt ou plus tard qu'à la Réunion ?

→ Comment s'appelle la cantine du collège ?
a. la salle de permanence
b. le CDI
c. le self

Les matières scolaires

→ Comment s'appelle le cours de langue étrangère que les élèves commencent en 6e ?
a. LV2
b. CP
c. LV1

→ Comment les élèves appellent ces matières scolaires ?

Technologie

Sciences de la vie et la terre

Mathématiques

Éducation physique et sportive

La Réunion

→ Quelles sont les principales langues parlées à la Réunion ?

→ Vrai ou Faux ? L'été à la Réunion, c'est en décembre, janvier et février.

→ Quelle île se trouve à l'ouest de la Réunion ?

→ Écris le nom de trois sports qu'on peut faire à la Réunion.

MON PROJET FINAL : **LE COLLÈGE IDÉAL**

VOUS ALLEZ PRÉSENTER VOTRE COLLÈGE IDÉAL

1. Par petits groupes, vous allez décider comment est votre collège idéal. Pensez :
   - au nom du collège et où il se trouve.
   - à l'emploi du temps : matières, horaires...
   - aux installations.
   - aux professeurs.
   - aux activités extrascolaires.
   - ...
2. Préparez la présentation de votre collège. Pour cela, vous pouvez le dessiner, faire une maquette, etc.
3. Présentez votre collège à la classe ! Pensez bien à ce que vous voulez dire et à l'ordre que vous allez suivre.
4. Votez pour le meilleur collège !

Alternative numérique
Utiliser un logiciel pour dessiner le plan de votre collège en 3D et préparer la présentation avec un programme de design.

DNL En classe d'éducation physique et sportive

5

Sport à l'école

Tous les collégiens bénéficient d'un enseignement obligatoire d'éducation physique et sportive (EPS). Ils peuvent pratiquer des activités variées et apprennent ainsi à respecter les règles de jeu et à s'engager au sein d'une équipe.
Tous les ans, en septembre, une Journée nationale du sport scolaire s'organise autour de manifestations sportives et ludiques et mobilise les élèves du primaire au secondaire.

A. Observe cette affiche et relie les sports que tu y vois.

le saut à la perche

le football — le volleyball

le basketball — le cyclisme

le handball — le saut à la haie

le badminton

B. Parmi les sports de l'activité A, lesquels sont collectifs ? Et individuels ?

C. Lis ce texte à droite et réponds aux questions.

1. De quelle manifestation sportive parle-t-on ?
2. Combien de médailles a gagné la France ? Dans quelles disciplines ?
3. Comment s'appelle le sportif qu'on voit sur la photo ? Qu'est-ce qu'il a fait ?

D. Recherche des informations sur un(e) champion(ne) de ton pays et présente-le/la au groupe.

Encore sous le choc de sa victoire, PAB s'est offert un bain de foule auprès du public londonien.

C'est le nombre de médailles remportées par la France aux Mondiaux d'athlétisme de Londres, trois en or et deux en bronze ! Pierre-Ambroise Bosse *(photo)* est devenu le premier Français médaillé sur 800 mètres et champion du monde. Les deux autres médailles d'or ont été gagnées par Kevin Mayer *(MDA 389)* en décathlon, et Yohann Diniz, sur le 50 kilomètres marche. Mélina Robert-Michon, au disque, et Renaud Lavillenie, à la perche, rapportent les deux de bronze.

UNITÉ 6
Ma semaine

↑ *Ma journée,* Anaëlle (2017)

↑ Miroir d'eau, place de la Bourse, Bordeaux

LEÇON 1

Je parle des moments de la journée et des activités quotidiennes

- Les moments de la journée
- Les verbes **lire**, **dormir**, **sortir** et **prendre**
- Les marqueurs temporels Les verbes pronominaux
- Les activités quotidiennes

Mini-projet 1

Faire un album de nos moments de la journée.

LEÇON 2

Je parle des activités qu'on fait après le collège et pendant le week-end

- Les loisirs
- **Avant**, **après**
- Indiquer l'heure
- Exprimer la fréquence (2)
- **Moi aussi**, **moi non / moi pas**, **moi non plus**, **moi si**

Mini-projet 2

Jouer au « Jeu de la fréquence ».

LEÇON 3

Je parle des loisirs et des sorties

- Les loisirs
- Proposer, accepter et refuser
- Les expressions pour réagir

Mini-projet 3

Se mettre d'accord pour faire une activité.

FENÊTRE SUR

Je découvre les activités qu'on peut faire à Bordeaux et ses alentours

PROJET FINAL

CRÉER UN PROGRAMME D'ACTIVITÉS DE DEUX JOURS

Salut, je m'appelle Paul et je suis bordelais. Dans cette unité, nous allons découvrir ma ville et ses alentours. Nous allons aussi parler de nos activités quotidiennes et de nos loisirs.

Paul
Il est 7 h 30 ! Je vais être en retard à l'école ! 7:30

Julie
Moi, je me brosse les dents et je prends le bus. 7:37

Arthur
@Paul, problème pour te réveiller ? 7:41

Paul
Oui ! Je m'habille et je prends mon vélo ! 7:45

Arthur
On vient te chercher en voiture avec ma grande sœur ? 7:46

Paul
Super ! Merci, Arthur ! 7:50

En route !

1. Regarde la photo du Miroir d'eau. As-tu déjà vu cela ? Où ? Qu'est-ce qu'on peut y faire ?

2. Lis la conversation et réponds aux questions.

a. Quel est le problème de Paul ?
b. Que propose Arthur ?
c. Que fait Julie avant de prendre le bus ?

3. Regarde la vidéo, quelles activités fait Anaëlle ?

regarder la télé — lire — jouer au foot — faire du théâtre — manger — promener son chien

1. LES MOMENTS DE LA JOURNÉE

A Piste 32

Écoute les différents sons et regarde le document. À quel moment de la journée les associes-tu ?

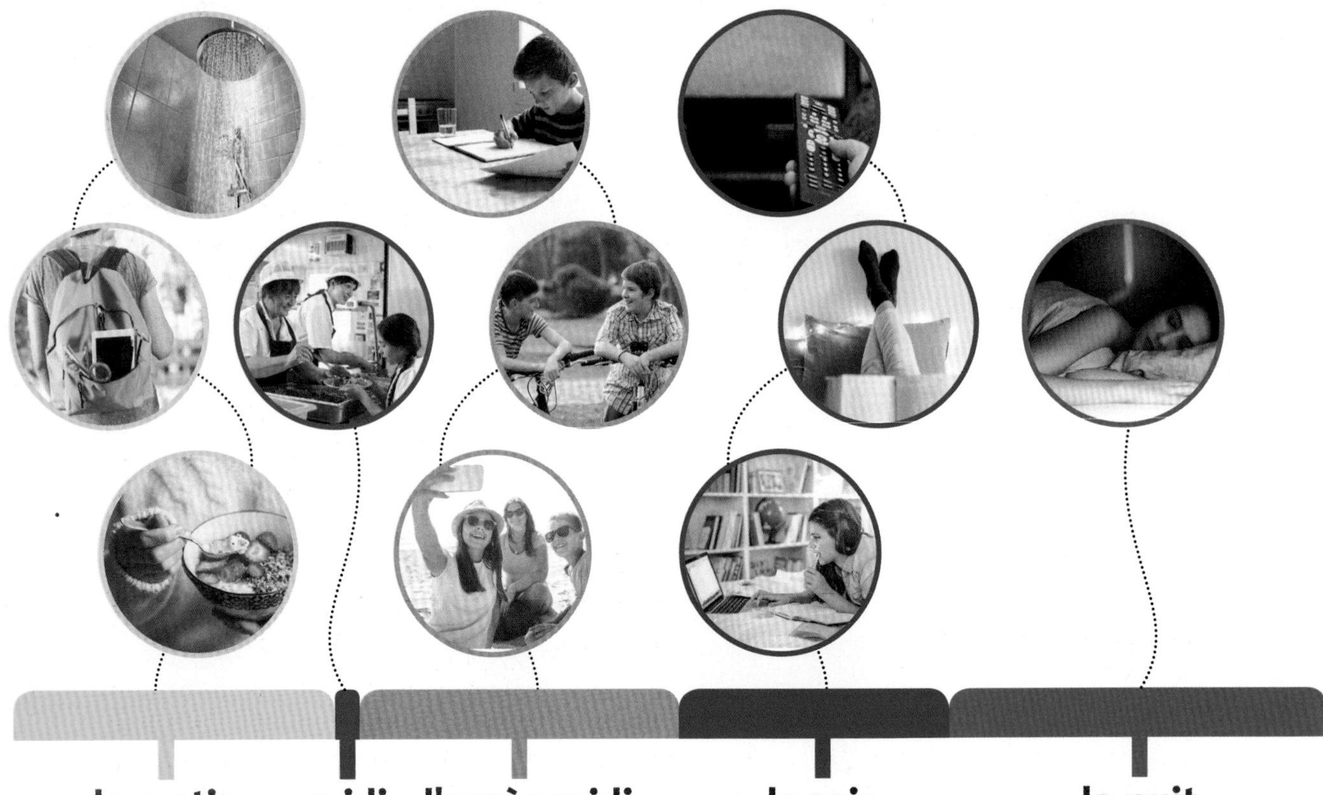

LES MOMENTS DE LA JOURNÉE

Le matin / L'après-midi / Le soir...

Samedi matin...

Dimanche soir...

B Et toi, à quel moment de la journée tu...

- lis ?
- te douches ?
- fais tes devoirs ?
- regardes la télé ?
- surfes sur Internet ?

Moi, je me douche le soir.

C Dans ta langue, la journée se divise-t-elle de la même façon ? Quelles sont les différences ?

D À deux, cherchez dans une sonothèque des bruits que vous associez à un certain moment de la journée. Faites-les écouter à la classe, ils doivent trouver les bruits.

LIRE

Je	lis
Tu	lis
Il / Elle	lit
Nous	lisons
Vous	lisez
Ils / Elles	lisent

→ p. 102

2. LE MATIN, JE...

Piste 33

A Écoute Paul et remets dans l'ordre les activités qu'il fait le matin.

D'abord, il se lève et ensuite, il...

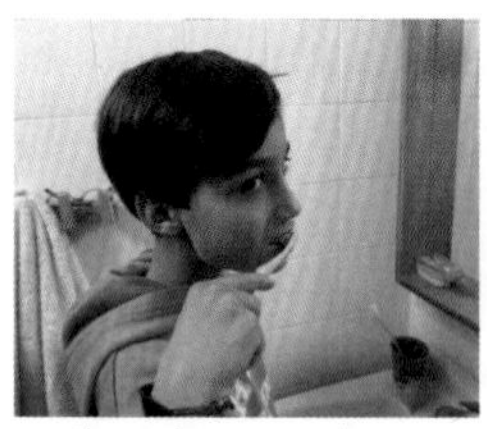

a. Il se brosse les dents.

b. Il se coiffe.

c. Il promène son chien.

d. Il surfe sur Internet.

e. Il se lève.

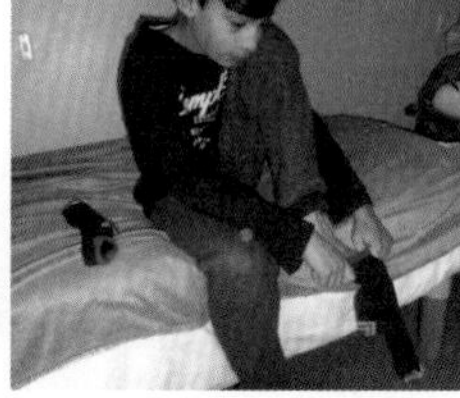

f. Il s'habille.

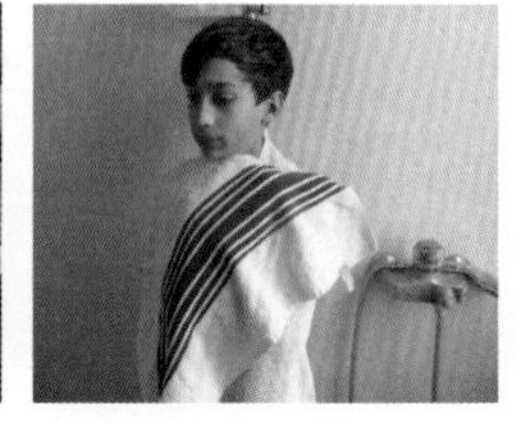

g. Il se lave.

h. Il prend le bus.

i. Il fait son sac.

j. Il sort de la maison.

k. Il prend son petit déjeuner.

l. Il fait son lit.

B Relève les verbes pronominaux et écris sur un papier les infinitifs.

il se lave : se laver

C Et toi ? Qu'est-ce que tu fais le matin ? Parlez-en en groupes.

Le matin, je...

LES MARQUEURS D'ÉNUMÉRATION ET TEMPORELS

D'abord...
Ensuite / Puis...
Après...
Enfin...

LES VERBES PRONOMINAUX

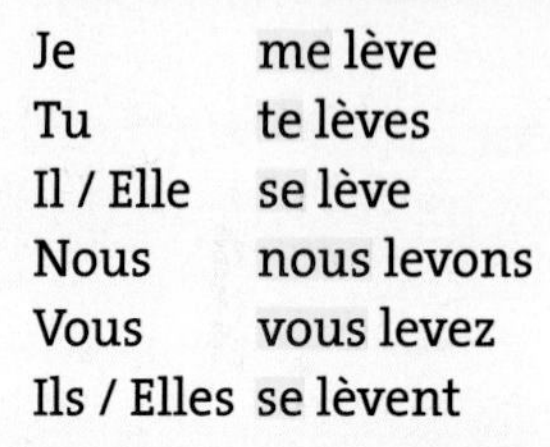

Je	me lève
Tu	te lèves
Il / Elle	se lève
Nous	nous levons
Vous	vous levez
Ils / Elles	se lèvent

→ p. 102

LES ACTIVITÉS QUOTIDIENNES

déjeuner
rentrer à la maison
aller à l'école
sortir de la maison
goûter
faire ses devoirs
dîner
se coucher
dormir

→ p. 104

MINI-PROJET 1 : **NOS MOMENTS DE LA JOURNÉE**

1. Pense à trois activités que tu fais d'habitude pendant la journée et prends trois photos de toi en train de les faire.

2. Apporte les photos en classe. En groupes de cinq, classez les photos selon le moment de la journée.

3. Faites une ligne du temps et collez les photos dans l'ordre chronologique.

→ Alternative numérique
Faire le poster sur un mur virtuel.

3. APRÈS LE COLLÈGE

A Lis ce texte. Suis-tu ces conseils ? Quand est-ce que tu fais tes devoirs ?

Non, pas trop. Moi, je fais mes devoirs le matin, dans le bus.

Faire ses devoirs entre deux tartines ou sur le chemin de l'école n'est pas le moment le plus approprié.

Les éducateurs recommandent de faire les devoirs l'après-midi, après l'école. Le meilleur moment est probablement une heure après le retour de l'école.

En général, les enfants sont capables de pratiquer et d'apprendre au maximum pendant 45 minutes, voire 1 heure. Au cours de leurs devoirs, une courte pause de 5 minutes est nécessaire. Une pause pour se lever, bouger, boire ou prendre l'air.

fr.care.com

AVANT, APRÈS

Je fais mes devoirs avant le dîner.

Je fais mes devoirs après le dîner.

L'HEURE

À quelle heure tu te lèves ?

De quelle heure à quelle heure tu as cours ?

Combien d'heures par semaine tu fais du sport ?

Je me lève à 8 h tous les jours.

J'ai cours de 9 h à 16 h.

Je fais du sport trois heures par semaine.

Je dîne vers 20h.

→ p. 103

B Écris trois phrases pour dire dans quel ordre tu fais quelques activités. Attention : une phrase doit être fausse. Lis tes phrases à tes camarades. Ils doivent deviner quelle est la fausse.

- Je fais toujours mes devoirs après mon goûter.
- Ce n'est pas vrai ! Tu fais toujours tes devoirs avant les cours !

4. MA JOURNÉE PRÉFÉRÉE

Piste 34

A Paul parle de sa journée préférée. Écoute-le et réponds aux questions.

a. À quelle heure il finit l'école le mardi ?
b. À quelle heure commence son cours de karaté ?
c. De quelle heure à quelle heure il joue de la guitare ?
d. Vers quelle heure la famille de Paul dîne ?

B Ajoute deux ou trois questions à ce questionnaire sur ce qu'on fait après le collège. Réponds, puis interroge deux camarades et note leurs réponses. Qui te ressemble le plus ? Pourquoi ?

	Moi	Camarade 1	Camarade 2
a. Vers quelle heure tu rentres à la maison l'après-midi après le collège ?			
b. Qu'est-ce que tu fais avant de te coucher ? À quelle heure ?			
c. À quelle heure tu te couches ?			
d. ...			

5. MON WEEK-END

A

Piste 35

Écoute deux adolescents qui racontent ce qu'ils font d'habitude le week-end. Écris quelles activités fait chacun.

1. Paul... **2.** Jade...

a. joue au foot.

b. regarde des séries.

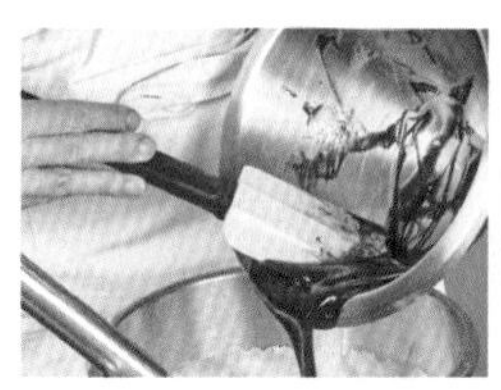
c. cuisine.

d. envoie des messages à ses copains.

e. se promène avec son chien.

f. fait du ski.

g. fait des randonnées.

h. fait du surf.

B

Piste 35

Écoute à nouveau et note à quelle fréquence ils font ces activités.

C

Et toi ? Qu'est-ce que tu fais d'habitude le week-end ?

D

Écris une activité que tu fais tous les week-ends, une que tu ne fais jamais et une autre que tu fais parfois. Parle avec un(e) camarade pour savoir s'il / elle fait les mêmes choses.

- Je ne fais jamais de ski.
- Moi si, de temps en temps, trois ou quatre fois par an.

EXPRIMER LA FRÉQUENCE (2)

\+ Toujours
Souvent
Parfois
De temps en temps
Rarement
\- Jamais

→ p. 104

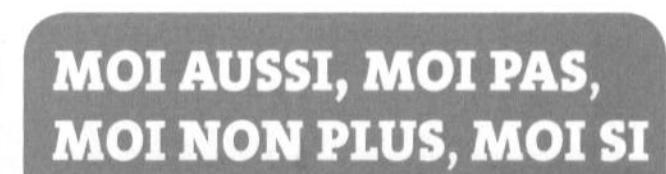
MOI AUSSI, MOI PAS, MOI NON PLUS, MOI SI

- (+) *Je regarde souvent des séries.*
- (+) *Moi aussi.*

- (+) *Je regarde souvent des séries.*
- (−) *Moi pas / Moi non.*

- (−) *Je ne fais jamais de ski.*
- (−) *Moi non plus.*

- (−) *Je ne fais jamais de ski.*
- (+) *Moi si.*

→ p. 103

MINI-PROJET2 : ON JOUE ET ON GAGNE !

1. En groupes, dessinez un plateau comme celui-ci.

2. Chaque joueur lance le dé et joue.
- Si le joueur tombe sur une case qui indique la fréquence, il doit dire quelque chose qu'il fait à cette fréquence.
- Si la case indique une activité, il dit à quelle fréquence il la fait.
- Si la phrase est correcte, il reste sur la case où il est et c'est le tour d'un autre joueur. Si elle n'est pas correcte, il retourne à la case précédente.

→ **Alternative** Jouer avec le plateau que votre professeur va vous donner.

6. IMPOSSIBLE, JE DÉTESTE LA MER !

A **Regarde ces idées d'activités à faire samedi à Bordeaux. Quelles sont les activités que tu aimerais faire ? Pourquoi ?**

Que faire à Bordeaux ce week-end ?

10 h - 12h30

Atelier de cuisine au restaurant Les flots pour apprendre à faire des cannelés.

de 11 h 00 à 13 h 00

Atelier graffiti à l'espace Darwin.

12 h

Pique-nique au parc bordelais.

De 15 h 00 à 18 h 00

Initiation à la voile, Club de voile de Bordeaux Lac.

15 h 30 - 17 h 30

Rallye photos avec des photographes professionnels au musée des Beaux-Arts.

21 h

Soirée sur les quais. Concert du groupe Odezenne.

B **Écoute le dialogue entre Léo et Clara et réponds aux questions.**

Piste 36

1. Que vont faire Clara et Léo, le matin ?
2. Qui veut faire l'atelier graffiti ?
3. Qui refuse de faire du bateau ? Pourquoi ?
4. Quelles activités vont-ils faire ensemble ?

C **Écoute à nouveau. Quelles sont les expressions utilisées pour...**

Piste 36

1. proposer une activité ?
2. refuser ?
3. accepter ?

LE SAIS-TU ?

Les cannelés sont une spécialité de Bordeaux ; ce sont des gâteaux croustillants à l'extérieur et tendres à l'intérieur. Ils contiennent de la vanille et du caramel !

PROPOSER

Tu veux aller / venir / faire... ?

Vous voulez aller / venir / faire... ?

Tu es disponible le samedi / dimanche pour aller / faire... ?

Ça te dit d'aller / de faire... ?

→ p. 105

ACCEPTER ET REFUSER

Oui, d'accord.

Très bien.

Ça me va.

Parfait.

Impossible, j'ai / je dois...

Ça ne me va pas...

→ p. 26

7. SUPER !

A Piste 37

Écoute ces parents qui proposent des activités à leurs enfants et remplis le tableau.

	1	2	3	4
• Quelles activités proposent-ils ?	Aller au cinéma.			

B Piste 37

Écoute à nouveau et dis si les adolescents acceptent les activités ou pas. L'intonation peut t'aider.

	1	2	3	4
• Est-ce qu'ils acceptent ?	Non.			

LES EXPRESSIONS POUR RÉAGIR

Super !
C'est cool !
Génial !
Très bonne idée !
J'adore !
Trop bien !
Avec plaisir !
Bof...
Ça ne me dit rien.
Non, merci !
Pas question.

→ p. 105

C **Dis si ces expressions sont pour accepter ou pour refuser.**

Super ! Non, merci ! Trop bien ! Génial ! Ça ne me dit rien.

Avec plaisir ! C'est cool ! J'adore ! Bof... Pas question !

D **Un(e) élève lance une balle à un(e) autre et propose une activité à faire. L'autre réagit avec une des expressions précédentes.**

Oui, super !

MINI-PROJET3: ACTIVITÉS « FOLLES »

1. En groupes, faites une liste d'activités « folles » que vous aimeriez faire et cherchez des photos pour les illustrer.
2. Faites de nouveaux groupes. Proposez à vos camarades vos idées. Veulent-ils faire ces activités ? Quelle est l'activité qui a le plus de succès ?

Ça vous dirait d'aller faire du parapente ?

C'est une super idée !! Trop bien !

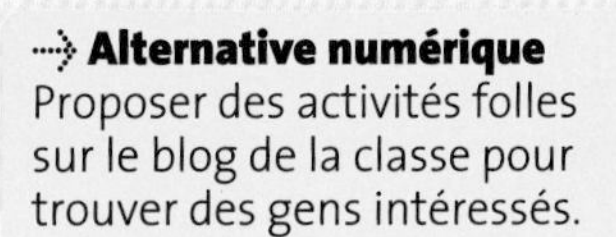

→ **Alternative numérique**
Proposer des activités folles sur le blog de la classe pour trouver des gens intéressés.

A. Les verbes pronominaux

Les verbes pronominaux sont formés de deux mots : un pronom réfléchi et un verbe.

PRONOMS PERSONNELS SUJETS	PRONOMS RÉFLÉCHIS	VERBE
JE	me	lève
TU	te	lèves
IL / ELLE	se	lève
NOUS	nous	levons
VOUS	vous	levez
ILS / ELLES	se	lèvent

1. Créez des cartes comme celles-ci et jouez en groupes. Un(e) élève pioche une carte et doit dire la forme du verbe pronominal.

s'habiller, vous

se coiffer, il

B. Les verbes *lire, prendre, dormir* et *sortir*

	LIRE
JE	lis
TU	lis
IL / ELLE	lit
NOUS	lisons
VOUS	lisez
ILS / ELLES	lisent

[li / liz]

	DORMIR	SORTIR
JE	dors	sors
TU	dors	sors
IL / ELLE	dort	sort
NOUS	dormons	sortons
VOUS	dormez	sortez
ILS / ELLES	dorment	sortent

[dɔr / dɔrm]

	PRENDRE
JE	prends
TU	prends
IL / ELLE	prend
NOUS	prenons
VOUS	prenez
ILS / ELLES	prennent

[prən] / [prɛn]

2. Complétez les dialogues avec les verbes *lire, prendre, dormir* et *sortir.*

a. Je ..... le petit déjeuner.
b. Tu ..... le bus.
c. Il ..... de l'école à 16 h 30 ?
d. Elle ..... de chez elle à 9 h.
e. Nous ..... 7 h par nuit.
f. Vous ..... plus de 8 h par nuit ?
g. Je ..... beaucoup de romans en anglais.
h. Elle ..... tout le temps des romans d'aventures.

PHONÉTIQUE

Les verbes **lire**, **dormir** et **sortir** sont des verbes à deux bases. Le verbe **prendre** est un verbe à trois bases.

3. Écoutez et cochez la bonne case.

	a.	b.	c.	d.	e.	f.	g.
IL / ELLE							
ILS / ELLES							

C. Indiquer l'heure

09:00 Il est neuf heures.
09:10 Il est neuf heures dix.
09:15 Il est neuf heures et quart.
09:20 Il est neuf heures vingt.
09:30 Il est neuf heures et demie.
09:40 Il est dix heures moins vingt.
09:45 Il est dix heures moins le quart.
09:50 Il est dix heures moins dix.

HEURE PRÉCISE	**à**	*Je me couche à 21 h 15.*
HEURE APPROXIMATIVE	**vers**	*Je dîne vers 19 h.*
INTERVALLE DE TEMPS	**de... à...**	*Je vais au collège de 8 h 30 à 16 h.*

Pour savoir le nombre d'heures :
- *Combien d'heures par semaine tu fais du sport ?*
- *Trois heures par semaine.*

4. Écris les heures suivantes en toutes lettres.

a. 07:05 c. 08:45 e. 21:40
b. 11:30 d. 12:25 d. 10:15

5. Réponds à ces questions.

a. Combien d'heures par semaine tu passes devant ton ordinateur ?
b. Combien d'heures par nuit tu dors ?
c. Combien d'heures par jour tu as cours ?

6. Complète ces phrases pour parler de tes habitudes.

a. Le matin, je vais à l'école vers .....
b. En semaine, je dîne vers .....
c. En semaine, je me couche vers .....
d. Le lundi, j'ai cours de ..... à .....
e. Le week-end, je me lève vers .....
f. Le mardi, mes cours commencent à .....

D. *Moi aussi, moi non plus, moi pas / non, moi si*

Pour dire qu'on pense ou qu'on fait comme son interlocuteur :

- Quand la phrase est à la forme affirmative → **Moi aussi**
  - ⊕ *J'aime regarder des séries.*
  - ⊕ *Moi aussi.*
- Quand la phrase est à la forme négative → **Moi non plus**
  - ⊖ *Je n'aime pas faire de la randonnée.*
  - ⊖ *Moi non plus.*

Pour dire qu'on ne pense pas ou qu'on ne fait pas comme son interlocuteur :

- Quand la phrase est à la forme affirmative → **Moi pas / non**
  - ⊕ *J'aime faire du surf.*
  - ⊖ *Moi pas / non.*
- Quand la phrase est à la forme négative → **Moi si**
  - ⊖ *Je n'aime pas cuisiner.*
  - ⊕ *Moi si.*

7. Réagis en utilisant *moi aussi, moi non plus, moi pas / non, moi si.*

a. Je n'aime pas marcher. →
b. J'adore faire la cuisine. →
c. J'aime bien le foot. →
d. Je déteste les animaux. →
e. J'aime bien les jeans. →
f. Je fais du ski de temps en temps. →
g. Je ne lis jamais. →
h. Je ne suis pas très grand. →
i. Je parle trois langues. →
j. Je prends le bus pour aller à l'école. →
k. Je dors moins de huit heures par nuit. →

A. La fréquence

1. À quelle fréquence fais-tu les activités suivantes ? Écris des phrases comme dans l'exemple.

souvent | tout le temps | rarement | de temps en temps | (presque) jamais | parfois

a. Aller à des concert. → *Je vais rarement à des concerts.*
b. Aller au restaurant.
c. Dormir chez des amis.
d. Voir des matchs de foot.
e. Écouter de la musique.
f. Aller au cinéma.
g. Voyager à l'étranger.
h. Cuisiner.

! Ces mots se placent généralement après le verbe : *Je ne fais presque jamais de sport.*

B. Les activités

2. Dis ce que fait Karine. Utilise *d'abord, puis / ensuite, après, enfin*.

3. Écris des activités que tu fais. Utilise ces verbes.

a. Je vais à / au / aux...
b. Je fais du / de la / des...
c. Je joue au / à la / aux...

4. Crée ta carte mentale. Écris les mots que tu veux retenir de cette unité et ajoute des photos et des dessins. Ajoute tes activités quotidiennes, tes loisirs et tes sorties préférées.

Les activités quotidiennes

- Se lever
- Se doucher
- Se brosser les dents
- Faire son lit
- S'habiller
- Prendre le bus / le métro
- Prendre son petit déjeuner
- Déjeuner
- Faire ses devoirs
- Goûter
- Dîner
- Promener son chien
- Lire
- Surfer sur Internet
- Regarder la télé
- Se coucher
- Dormir

Les loisirs et les sorties

Faire une randonnée 

Jouer au football 

Cuisiner 

Faire du surf 

Faire du ski

 Aller à des concerts

 Aller au cinéma

 Visiter des musées

 Voir des monuments

 Se balader à la campagne / en ville

MA SEMAINE

Proposer

Tu veux / Vous voulez aller...

Ça te dit / Ça vous dit d'aller / de faire...

Tu es disponible / Vous êtes disponibles pour aller...

Accepter

Oui, d'accord.

Parfait.

Ça me va.

Super !

Très bonne idée !

C'est cool !

Refuser

Impossible, j'ai...

Impossible, je dois aller...

Ça ne me va pas...

Ça ne me dit rien.

Bof !

Non, merci !

QUE FAIRE À BORDEAUX ET SES ALENTOURS ?

Il y a plein d'endroits à visiter et d'activités à faire à Bordeaux et ses alentours. Je vais vous présenter mes endroits préférés.

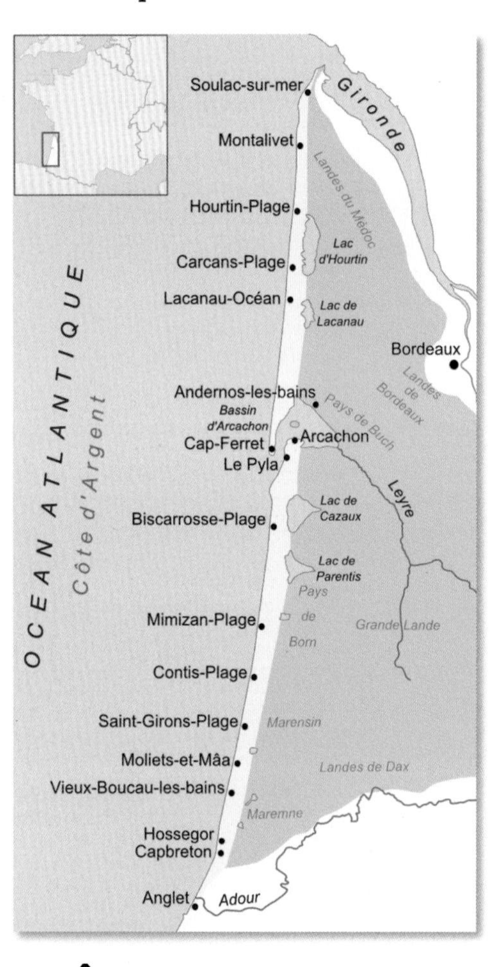

LA CÔTE D'ARGENT

L'Océan Atlantique est le rendez-vous des surfeurs français ! Plusieurs « spots » de surf se trouvent à moins de 40 minutes de Bordeaux ! Lacanau, le cap Ferret, Hossegor : des kilomètres de plages pour débutants ou experts !

LA DUNE DU PILAT

La dune du Pilat est la plus grande dune de sable d'Europe : 111 mètres de hauteur ! On peut y faire du parapente, du skysurf ou tout simplement admirer la magnifique vue sur le bassin d'Arcachon et la forêt des Landes ! Un endroit superbe au coucher du soleil !

↑ Parapente au bassin d'Arcachon

← La dune du Pilat, vue du bassin d'Arcachon

↑ La dune du Pilat au coucher du soleil

1. Où aimerais-tu aller et qu'est-ce que tu aimerais faire ? Pourquoi ?

- Moi, j'aimerais voir la dune du Pilat, et toi ?
- Moi, je voudrais faire du surf !

2. Et dans ton pays, où est-ce qu'on peut...

a. faire du parapente, du surf et du skate ?

b. aller à la plage ?

c. voir des graffitis ?

Dans ce numéro, Paul nous parle des activités à faire à Bordeaux et ses alentours.

L'ESPACE DARWIN

L'espace Darwin, construit dans une ancienne caserne, est un lieu où on peut faire du skate, admirer de nombreux graffitis, déjeuner, se reposer ou même faire ses courses ! Un lieu pour toute la famille !

↑ Le hangar de l'Espace Darwin

Journaliste en herbe !

Quelles activités peut-on faire dans la ville où tu habites ou aux alentours ? Écris un article comme celui de Paul.

QUESTIONNAIRE CULTUREL

Teste tes connaissances !

Bordeaux et ses environs

→ Quelle est la spécialité de Bordeaux en pâtisserie ?

a. les crêpes
b. les macarons
c. les cannelés

→ Quel sport peut-on faire près de Bordeaux ?
a. du ski
b. du surf

→ Complète le nom de ces endroits de la région de Bordeaux.
a. la forêt des .....
b. la dune du .....
c. la côte .....

→ Complète les légendes avec les mots suivants.

dune	forêt	océan

→ Comment s'appelle cet endroit emblématique de Bordeaux ?

MON PROJET FINAL : UN PROGRAMME D'ACTIVITÉS

VOUS ALLEZ PROPOSER UN PROGRAMME D'ACTIVITÉS DE DEUX JOURS DANS VOTRE RÉGION

1. Par groupes, listez des activités à faire dans votre région ou dans votre ville.

- culture
- nature
- sport
- famille
- ...

2. Décidez le programme : quelles activités et quand.

3. Proposez votre programme à la classe.

Alternative numérique
Créer votre programme en format numérique.

L'Alhambra

Samedi de 10 h à 13 h :
visite de l'Alhambra.

Samedi matin, on peut proposer une visite de l'Alhambra...

Et dimanche matin, une journée de ski dans la Sierra Nevada ?

DNL En classe d'éducation musicale

La musique et moi

A. Associe ces noms d'instruments à leur image correspondante.

Une trompette Un harmonica Un violon Un saxophone

Les maracas Une batterie Un djembé Un piano Une flûte traversière

Piste 39

B. Écoute les extraits audios et indique l'instrument correspondant.

C. Les instruments se classent en trois catégories. Barre l'intrus dans chaque catégorie.

CORDES	CUIVRES	PERCUSSIONS
• Le violon • La guitare • L'harmonica	• La trompette • La flûte traversière • Le piano	• Le saxophone • La batterie • Le djembé

D. Crée un duo ou trio d'instruments avec tes camarades et mimez-les pour les faire deviner à la classe.

UNITÉ 7
Mon quartier

Les berges du Rhône, Lyon

LEÇON 1

Je parle de ma ville et de mon quartier

- Les lieux de la ville
- **Il y a / il n'y a pas**
- Le pronom **on** = **nous**
- Le verbe **pouvoir**

Mini-projet 1

Présenter la visite de mon quartier.

LEÇON 2

Je m'oriente et je donne des indications

- Les prépositions de lieu
- Les verbes pour indiquer un itinéraire
- L'impératif
- Les prépositions avec les moyens de transport

Mini-projet 2

Créer la brochure d'une ville.

LEÇON 3

Je fais des achats

- Le lexique des achats
- Les expressions pour faire des achats
- Le verbe **acheter**

Mini-projet 3

Organiser une braderie en classe.

FENÊTRE SUR

Je découvre la fête des Lumières à Lyon

PROJET FINAL

CRÉER UNE MAQUETTE D'UN QUARTIER

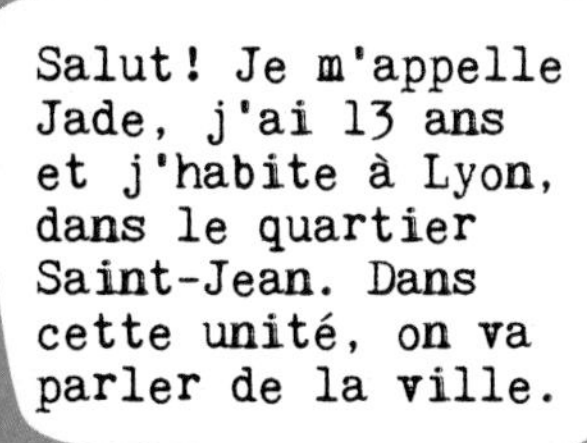

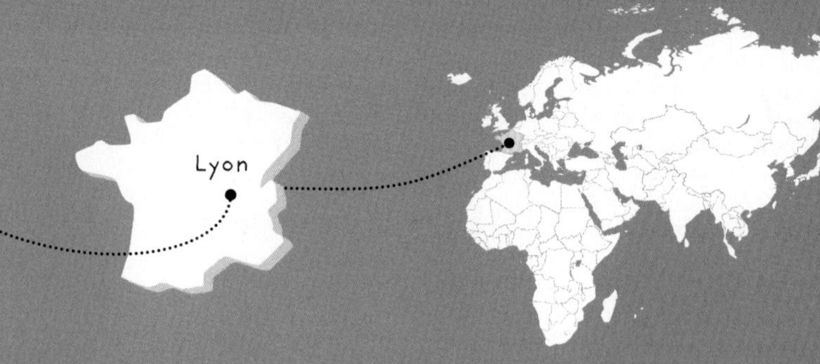

Jade
Coucou les copines ! Vous faites quoi aujourd'hui ? On va courir au parc de la Tête d'or ? 09:34

Line
Oui, trop bien !! 09:41

Anne
Zut ! Je dois aller étudier à la bibliothèque... 09:45

Cristina
Moi, je ne peux pas venir non plus, je vais à l'hôpital pour voir le bébé de ma sœur ! 09:47

Jade
Ouah, super Cristina ! Félicitations !!   09:51

Line
Ouiii, félicitations !! OK, Jade, on se voit devant le parc vers 15 h ! 09:57

En route !

1. Lis les messages. Qu'est-ce que ces filles vont faire ?

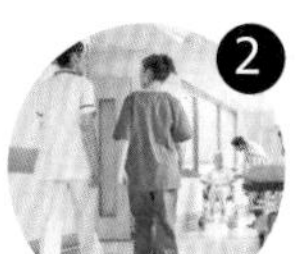

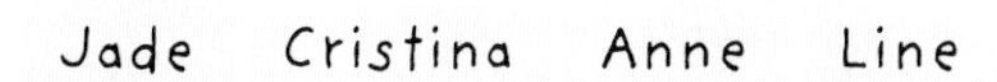

2. Regarde la vidéo. Quelle ville est présentée ? Quels endroits reconnais-tu ?

- un musée
- une place
- un collège
- l'opéra
- une cathédrale
- la gare
- un restaurant

1. LA VILLE DE LYON

A Observe ces photos postées par Jade sur un réseau social et lis les commentaires. De quels lieux parle-t-elle ? Qu'est-ce qu'on dit de ces lieux ?

une rue commerçante | un parc | un musée | un quartier

55 likes

jade_lyon J'adore ce nouveau musée dans le nouveau quartier de la Confluence.

cri_2784 Ouah ! C'est vrai ! Le quartier est vraiment beau, super moderne ! C'est le musée d'anthropologie ?

jade_lyon Oui, c'est ça !

62 likes

jade_lyon Il y a plusieurs parcs à Lyon. Moi j'adore le parc de la Tête d'or, au bord du fleuve.

line-893 Et là-bas, il y a aussi le musée d'Art contemporain, tu connais ?

jade_lyon Non, pas encore...

46 likes

jade_lyon J'adore la rue de la République pour faire les magasins !

emilie_dupont Moi aussi, j'adore. Je viens bientôt à Lyon, youpi !

jade_lyon Super, je t'attends avec impatience !

B Voici d'autres lieux de la ville. Dis ceux qu'il y a dans ton quartier, puis parles-en avec un camarade.

- un théâtre
- un cinéma
- un stade
- une université
- un parc d'attractions
- un centre commercial
- une place
- une médiathèque
- des rues commerçantes
- un hôpital
- un hôtel
- un arrêt de métro ou de bus
- une gare
- un supermarché
- un restaurant
- un fleuve
- un musée
- un parc
- une pharmacie

Dans mon quartier il n'y a pas de théâtre, mais il y a un cinéma et un stade de football. Il y a aussi deux arrêts de métro...

IL Y A / IL N'Y A PAS

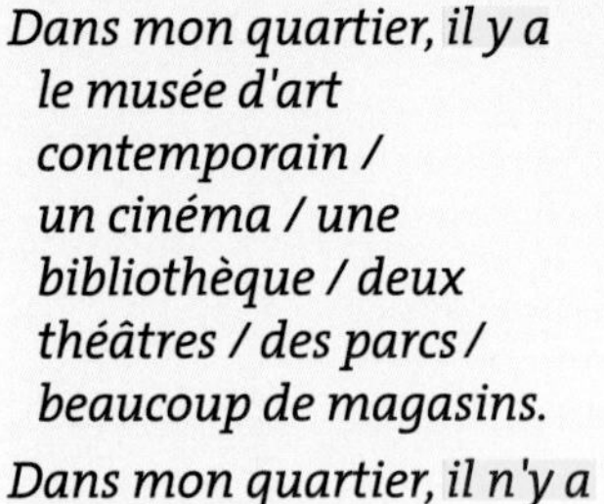

Dans mon quartier, il y a le musée d'art contemporain / un cinéma / une bibliothèque / deux théâtres / des parcs / beaucoup de magasins.

Dans mon quartier, il n'y a pas de gare.

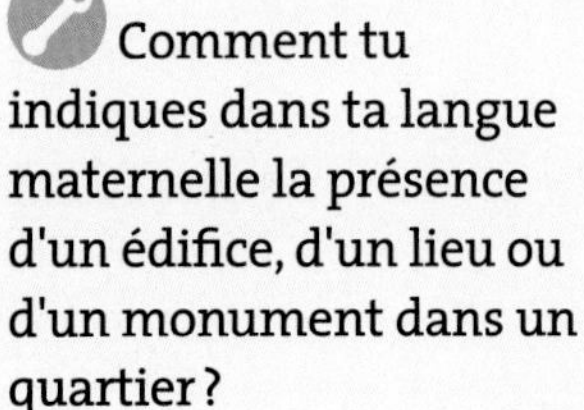

Comment tu indiques dans ta langue maternelle la présence d'un édifice, d'un lieu ou d'un monument dans un quartier ?

→ p. 118

C En petits groupes, chacun fait deviner un quartier de sa ville aux autres camarades.

- *Il y a une plage, beaucoup de restaurants et d'hôtels.*
- *C'est Le Suquet, à Cannes !*

2. ON VA OÙ CE WEEK-END ?

Piste 40

A Émilie va rendre visite à Jade à Lyon. Écoute Jade et sa mère parler du programme de ce week-end et entoure les activités qu'elles vont faire.

a. faire de l'aviron

b. aller au restaurant

c. visiter la ville à vélo

d. visiter des traboules

e. aller au parc d'attractions

f. faire les magasins

g. voir une exposition

h. courir au parc

i. aller à la bibliothèque

ON = NOUS

On peut aller au restaurant. =

Nous pouvons aller au restaurant.

→ p. 118

LE SAIS-TU ?

À Lyon, une traboule est un passage à travers un immeuble pour aller d'une rue à l'autre.

Un bouchon, c'est un restaurant typique de cuisine traditionnelle de la région lyonnaise.

B À deux, imaginez la visite d'un étranger dans votre ville. Faites une liste de ce qu'il / elle peut faire, puis partagez-la avec la classe.

- Aller se promener au bord de la mer.
- Faire les magasins au centre commercial.

Il peut aller se promener au bord de la mer...

POUVOIR

Je	peux
Tu	peux
Il / Elle / On	peut
Nous	pouvons
Vous	pouvez
Ils / Elles	peuvent

→ p. 118

MINI-PROJET 1 : UNE VISITE DE TON QUARTIER

1. Tu vas présenter ta ville ou ton quartier. D'abord, choisis les quatre lieux que tu aimes le plus et prends une photo de ces endroits.

2. Décris tes photos en une ou deux phrases : dis ce qu'il y a ou ce qu'il n'y a pas dans ces lieux, où ils se trouvent et ce qu'on peut y faire.

3. Présente-les à tes camarades.

Dans le quartier quartier de la Krutenau, à Strasbourg, il y a beaucoup de restaurants...

→ **Alternative numérique**
Légende tes photos et poste-les sur le blog de la classe.

3. TU ES OÙ ?

A Observe cette carte, puis complète les phrases.

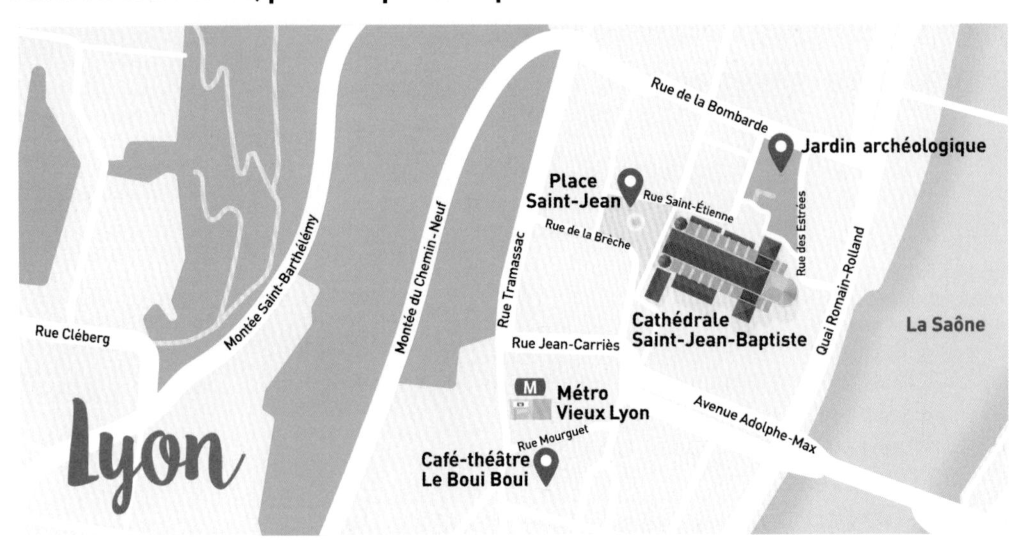

1. La cathédrale Saint-Jean-Baptiste est **en face de** .....
2. Le jardin archéologique est **à côté de** .....
3. L'arrêt de métro Vieux Lyon est **entre** ..... et .....
4. Le café-théâtre Le Boui Boui est **près de** .....

Piste 41

B Écoute la conversation entre Jade et Line. Où se trouvent-elles ? Indique-le sur la carte.

C Regarde la carte de Lyon de l'activité A et pose une devinette à ton voisin pour lui faire deviner un lieu.

- C'est à côté de la cathédrale Saint-Jean-Baptiste, entre la rue de la Bombarde et la rue des Estrées. Qu'est-ce que c'est ?
- C'est le jardin archéologique !

PRÉPOSITIONS DE LIEU

En face de
Près de ≠ Loin de
Entre... et...
À côté de
Ici ≠ Là-bas

→ p. 119

4. JE VAIS À PIED AU COLLÈGE

A Réponds à ce questionnaire adressé à des collégiens.

Comment tu vas au collège ?

- ☐ en métro
- ☐ en voiture
- ☐ en train
- ☐ à pied
- ☐ en bus
- ☐ à scooter
- ☐ en tram
- ☐ à vélo

LES MOYENS DE TRANSPORT

en métro / voiture / train / bus / tram (tramway)

à scooter / moto / vélo / pied

→ p. 121

B Et toi ? Comment te déplaces-tu ? Réponds à ces questions.

1. Comment tu vas faire les magasins ?
2. Comment tu vas chez tes grands-parents, ta famille ?
3. Comment tu vas faire du sport ?
4. Quels autres moyens de transport tu utilises ?

Je vais en train voir mes grands-parents à Marseille.

5. CONTINUE TOUT DROIT

A Lis ces indications pour rejoindre le jardin archéologique, puis indique l'itinéraire sur la carte de l'activité 3A.

De : j.arnaud@francemail.fr
À : phil_775@mailplus.be
Objet : Visite à Lyon

Salut Phil !

Ça va ? Le jour de ton arrivée approche enfin !
Voici les indications pour rejoindre le jardin archéologique.
Descends à l'arrêt de métro Vieux Lyon, tourne à droite sur la rue Tramassac et prends la deuxième rue à droite, la rue de la Brèche.

Continue tout droit pour arriver sur la place Saint-Jean. Traverse la place et prends la rue Saint-Étienne au fond de la place. Le jardin se trouve juste en face.
Je t'attends à l'entrée du jardin à 11 h.

À très bientôt !
Jean

B Dans les indications ci-dessus il y a un nouveau mode, l'impératif. Entoure les verbes à l'impératif et écris l'infinitif correspondant. Dans ta langue, il existe un mode similaire ?

C Explique à ton voisin comment aller du collège à un endroit aux alentours. En regardant une carte, ton voisin doit deviner cet endroit.

À la sortie du collège, prends à droite, …

INDIQUER UN ITINÉRAIRE

Tourner à gauche ≠ à droite

Prendre à gauche ≠ à droite

Continuer tout droit

Traverser une rue, une place

Descendre à un arrêt, une station

→ p. 121

L'IMPÉRATIF

TU	VOUS
prends	prenez
tourne	tournez

Prends la première rue à gauche.

Tournez à droite.

→ p. 119

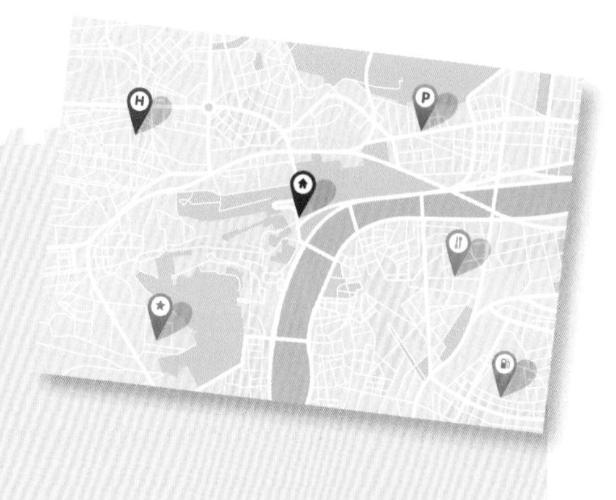

MINI-PROJET 2 : UNE BROCHURE DE MA VILLE

1. En groupes, vous allez créer une brochure avec un itinéraire dans votre ville pour des jeunes francophones qui viennent la visiter.
2. Choisissez trois ou quatre endroits que vous voulez présenter.
3. Proposez un itinéraire pour relier ces endroits, et pensez à varier les moyens de transport utilisés.
4. Représentez cet itinéraire sur une carte de votre ville et dessinez, pour chaque étape, l'icône du moyen de transport conseillé.

→ **Alternative numérique**
Faites une carte virtuel

6. AIMES-TU FAIRE DU SHOPPING ?

A Observe cette affiche pour les soldes. Combien de mots comprends-tu ? Qu'est-ce qui t'a aidé à les comprendre ?

ASTUCE

Certains mots peuvent être plus ou moins transparents.
Aide-toi de ta langue ou d'autres langues que tu connais pour comprendre leur sens.

LES ACHATS

Cher ≠ bon marché
Vendre ≠ acheter
(acheter) d'occasion ≠ (acheter) neuf
Faire les soldes
Faire du shopping

ACHETER

J'	achète
Tu	achètes
Il / Elle / On	achète
Nous	achetons
Vous	achetez
Ils / Elles	achètent

B À deux, répondez à ces questions sur vous et le shopping.

- Aimes-tu faire du shopping? Et faire les soldes ?
- Préfères-tu acheter neuf ou d'occasion ?
- Aimes-tu les grands magasins ?
- Vends-tu les vêtements que tu n'utilises plus ? Comment ?

LE SAIS-TU ?

Pendant une braderie, les commerces mettent en vente leurs articles dans la rue et pour moins cher que d'habitude. La braderie de Lille est la plus célèbre en France.

7. ON VA À LA BRADERIE ?

A Observe l'affiche de droite et retrouve l'image de ces articles.

une robe   un téléphone portable   un sac

des lunettes   une fleur   un parfum

Création Graphistar (2013).

B Dans quel type de commerces peux-tu acheter les articles de l'activité A ?

- dans un magasin de vêtements
- dans un magasin de téléphonie mobile
- chez le fleuriste
- dans une parfumerie

C Fais une liste d'autres commerces qu'on peut trouver dans une ville. Cherche dans un dictionnaire si nécessaire.

D L'affiche de l'activité A présente une braderie. Sais-tu ce que c'est ? Y a-t-il des initiatives similaires dans ton pays ?

8. TROP JOLI, LE PULL !

Pistes 42-44

Des ados vont à la braderie de la Croix-Rousse. Écoute ces trois dialogues, puis dis quel objet de l'affiche de l'activité 7 elles achètent.

1. Dialogue 1: .....
2. Dialogue 2: .....
3. Dialogue 3: .....

Pistes 42-44

Écoute à nouveau les dialogues, puis complète-les.

1.
- *Commerçant :* Bonjour ! .....
- *Jade :* Bonjour, monsieur ! J'aime beaucoup ce pull, ... ?
- *Commerçant :* Oui, bien sûr. Voilà.
- *Jade :* Super ! .....
- *Commerçant :* Oui, bien sûr !

2.
- *Émilie :* Madame, vous avez cette robe en jaune ?
- *Commerçante :* Oui, bien sûr. .....
- *Émilie :* Je fais du 36 ou du 38, ça dépend des marques...

3.
- *Line :* J'adore ce sac, ..., monsieur ?
- *Commerçant :* ..... 38 euros.
- *Line :* .....
- *Commerçant :* Je vous le laisse pour 30 euros, si vous voulez.
- *Line :* Parfait, merci beaucoup !

FAIRE DES ACHATS

En quoi je peux vous aider ?

Je voudrais un sac / une robe...

Combien ça coûte ?

Ça coûte / Ça fait 10 euros.

C'est un peu cher.

Vous avez d'autres couleurs ?

Vous l'avez en bleu / taille 40 ?

Quelle taille vous faites ?

Je peux l'essayer ?

Tu cherches le déguisement de ton héros préféré. Avec un camarade, imagine un dialogue au magasin et écris-le.

- Bonjour, je veux me déguiser en Captain America. Je voudrais un pantalon bleu.
- Oui bien sûr, quelle taille ?

MINI-PROJET 3 : LA BRADERIE EN CLASSE

1. Vous allez organiser une braderie dans la classe. Formez des binômes et chaque binôme va gérer un stand. Imprimez des images d'objets ou de vêtements que vous souhaitez vendre.

2. Préparez votre stand et fixez les prix.

3. À tour de rôle, un membre du binôme va se promener dans la classe, regarder les objets proposés et acheter si quelque chose lui plaît, tandis que l'autre va s'occuper du stand !

4. Ensuite, inversez les rôles.

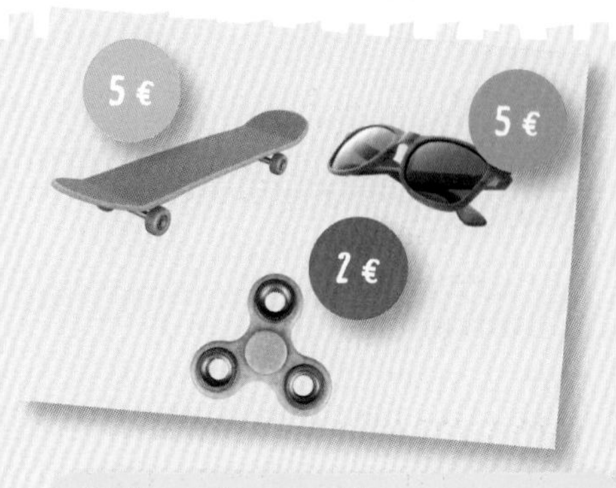

⇢ Alternative numérique
À l'aide d'un logiciel graphique, créer une présentation des objets à vendre et leurs prix.

A. *Il y a* et *il n'y a pas*

Il y a est une expression qui s'utilise pour indiquer la présence de quelque chose.
Pour indiquer l'absence de quelque chose, on utilise l'expression **il n'y a pas**.
Dans mon quartier, il y a une salle de sport mais il n'y a pas de piscine.

Il y a ne s'accorde pas au pluriel.
Dans mon jardin, il y a des arbres.

1. À deux, choisissez une photo du livre et décrivez ce qu'il y a et ce qu'il n'y a pas sur cette photo.

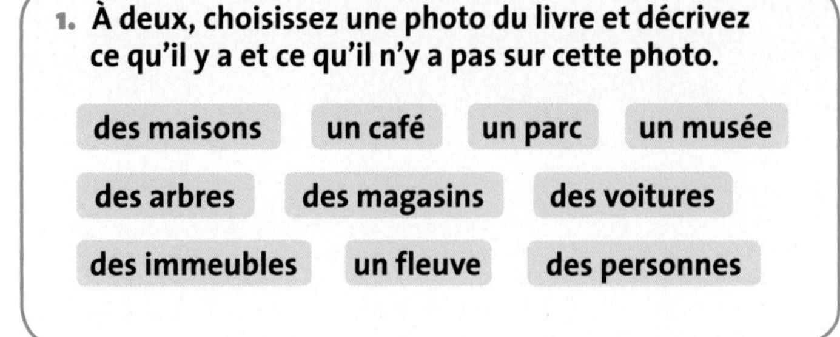

B. *On = Nous*

On remplace souvent **nous** dans la langue orale.
Le verbe qui suit s'accorde de la même manière que pour **il** ou **elle**.
On va au cinéma ou au restaurant ?

2. Transforme les phrases suivantes.

a. Ce soir, nous allons à la piscine. → Ce soir, on va à la piscine.
b. Nous faisons les magasins une fois par semaine. →
c. Mes parents et moi mangeons chinois le samedi. →
d. Nous adorons sortir le soir. →
e. Mes amis et moi courons souvent au parc. →
f. Nous aimons beaucoup notre quartier. →

C. Le verbe *pouvoir*

Pour indiquer une possibilité, on utilise le verbe **pouvoir**.
Tu peux visiter un musée ou te balader dans la ville.

	POUVOIR
JE	peux
TU	peux
IL / ELLE / ON	peut
NOUS	pouvons
VOUS	pouvez
ILS / ELLES	peuvent

3. Complète ces phrases avec le verbe *pouvoir*.

a. Tes amis ..... aller au parc.
b. Toi et moi, nous ..... sortir dimanche.
c. Tu ..... courir avec moi au parc ?
d. Ma sœur ..... venir avec nous ?
e. Vous ..... arriver à quelle heure ?
f. Je ..... te téléphoner ce soir ?

D. Prépositions de lieu (1)

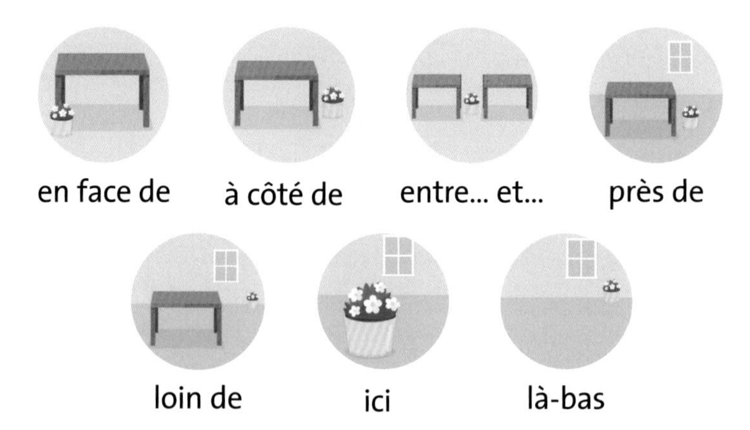

4. À deux, décrivez l'environnement de votre école et de votre maison en utilisant les mots ci-contre.

Devant l'école, il y a une place. Derrière, il y a une gare et des bâtiments...

E. Les moyens de transport

Pour indiquer qu'on utilise un moyen de transport fermé, on emploie **en**.
Nous voyageons en voiture / en train / en bus / en métro / en tram / en avion.

Pour indiquer qu'on utilise un moyen de transport ouvert, on emploie **à**.
Je vais à vélo au collège.

5. Transforme les phrases suivantes comme dans le modèle.

a. Je prends le train pour aller voir mes grands-parents.
→ Je vais voir mes grands-parents en train.
b. Nous prenons la voiture pour partir en vacances.
c. Ils prennent le métro pour aller voir leurs amis.
d. Elle marche pour aller faire ses courses.

F. L'impératif

L'impératif se conjugue :
- seulement à trois personnes : **tu**, **nous**, **vous**
- sans pronom personnel sujet.

La forme de l'impératif est identique à la forme du présent de l'indicatif.

PRÉSENT DE L'INDICATIF	IMPÉRATIF
Tu viens	Viens !
Nous prenons	Prenons !
Vous allez	Allez !

Pour les verbes en **–er**, on supprime le **–s** final à la deuxième personne du singulier (**tu**) :
Tu continues → Continue !

ÊTRE	AVOIR
Sois	Aie
Soyons	Ayons
Soyez	Ayez

6. À deux, indiquez l'itinéraire pour se rendre dans votre lieu préféré de la ville depuis votre école.

À la sortie de l'école, tourne à droite, prends la première rue à gauche...

PHONÉTIQUE

Piste 45

7. Écoute les phrases et dis dans quel ordre tu entends le présent et l'impératif.

	1	2	3	4
PRÉSENT	1			
IMPÉRATIF	2			

MA CARTE MENTALE

A. Les lieux de la ville et les activités dans la ville

1. Retrouve de quel lieu de la ville on parle.

a. On va dans ce lieu pour lire.
b. On va dans ce lieu pour voir une exposition.
c. Dans ce lieu, on peut faire du sport, lire, dessiner, dormir... et observer la nature !
d. On va dans ce lieu pour prendre le train.
e. On va dans ce lieu quand on est malade.

B. Les moyens de transport et les verbes pour indiquer un itinéraire

2. Remets les lettres dans l'ordre pour retrouver les moyens de transport.

a. EOLV = *Vélo*
b. WYAMRTA .....
c. INART .....
d. VNOIA .....
e. UTVIORE .....
f. ROTTTNEITTE .....

3. Comment aller de ton collège à une place de ta ville ? Explique l'itinéraire à un camarade.

C. Les commerces et les achats

4. Associe ces commerces avec les objets qu'on peut y acheter. Ajoute deux objets pour chaque commerce.

Commerces

le magasin de vêtements
le magasin de téléphonie mobile
le fleuriste
la boulangerie

Objets

un bouquet de fleurs
un pantalon
une baguette
un portable

5. Crée ta carte mentale. Écris les mots que tu veux retenir de cette unité et ajoute des photos et des dessins.

Les lieux

La gare

Le parc

Le collège / L'école

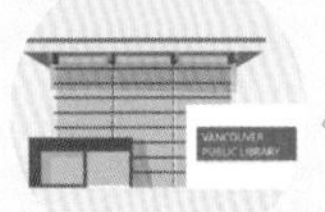
La médiathèque

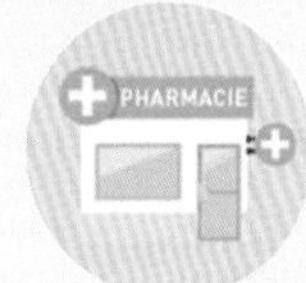

La pharmacie

L'hôtel de ville

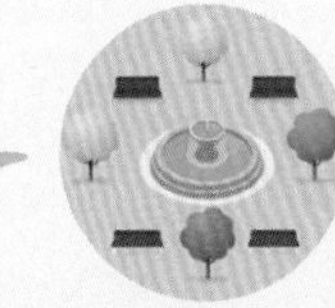
La place

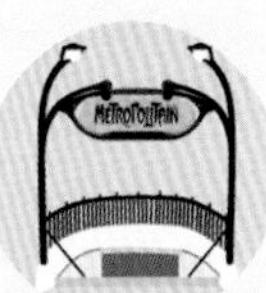
La station de métro

Le pont

Le théâtre

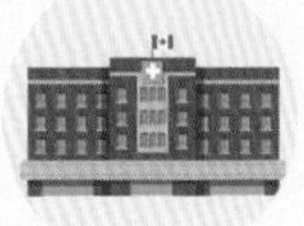
L'hôpital

Le musée

Un immeuble / Un bâtiment

LA VILLE

Les commerces

Le magasin de vêtements
Le magasin de chaussures
Le magasin de téléphonie mobile
Le fleuriste
La parfumerie
Le restaurant
Le supermarché
La boulangerie

Les moyens de transport

En métro
En voiture
En tram
À pied
À vélo
En bus
En train
En avion
À moto

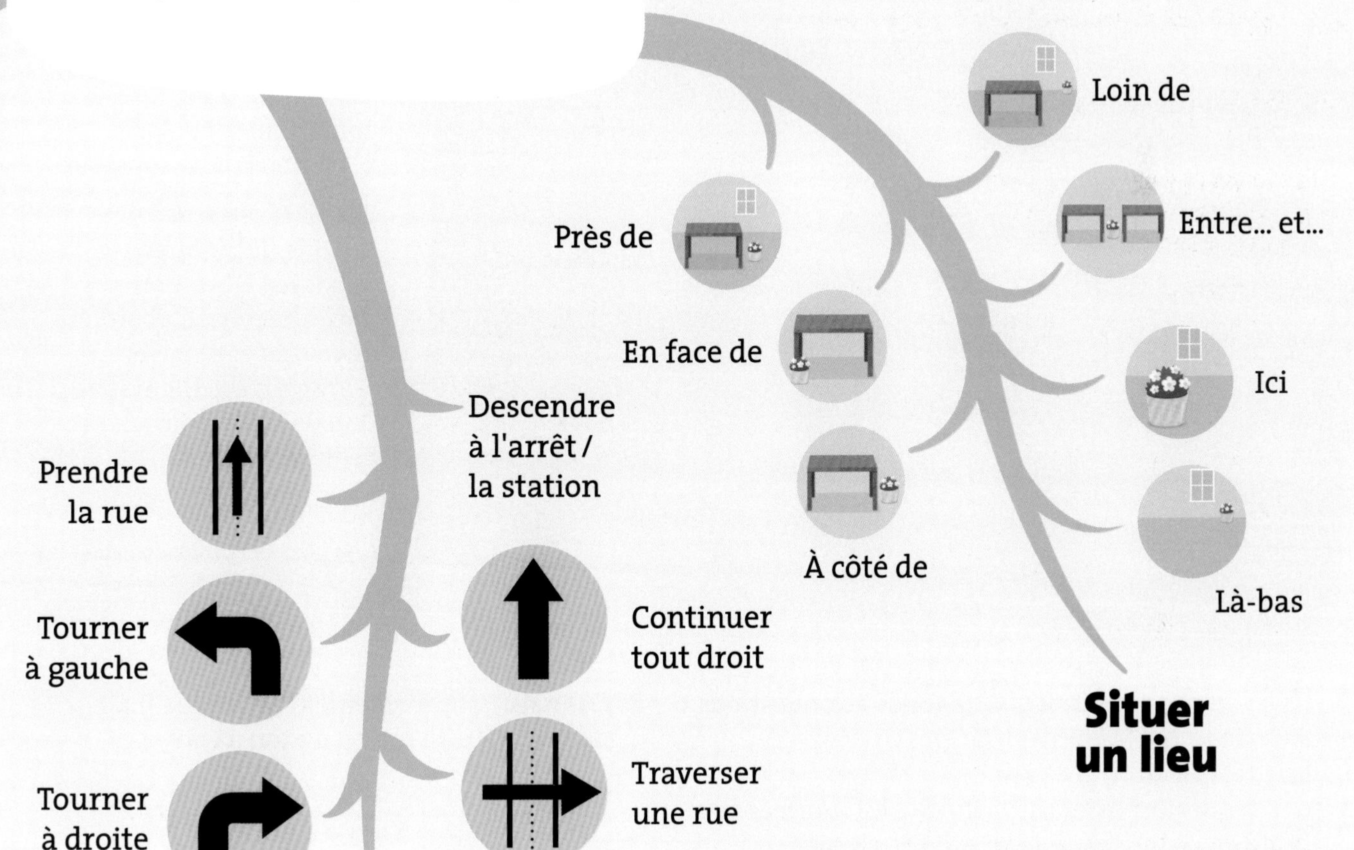

Indiquer un itinéraire

www.fenetresur.fr

FENÊTRE SUR ~ JOURNAL EN LIGNE ~

LA FÊTE DES LUMIÈRES À LYON

La fête des Lumières a lieu tous les ans à Lyon pendant quatre jours, aux alentours du 8 décembre. De nombreuses installations artistiques sont disposées dans toute la ville : sur la façade des bâtiments, des églises… mises en lumière, vidéos, sculptures, spectacles son et lumière, spectacles de rue, concerts, etc.

Chaque année, des millions de visiteurs viennent admirer ces animations lumineuses. C'est le quatrième plus grand rassemblement festif au monde, après le Kumbh Mela en Inde, le carnaval de Rio et l'Oktoberfest de Munich.

En 2017, Lyon a accueilli 46 installations artistiques et 1,8 million de visiteurs.

La place des Jacobins pendant la fête des Lumières de 2016.

UN ÉVÉNEMENT ARTISTIQUE

C'est un festival non seulement de lumières, mais aussi d'art contemporain, d'arts plastiques et de musique.

En 2017, certaines œuvres luminaires exposées à Lyon en décembre ont d'abord été envoyées et exposées à Francfort, en Allemagne, une des villes jumelées avec Lyon !

1. Lis les textes ci-dessus, puis réponds aux questions.

a. Quand a lieu la fête des Lumières à Lyon ?

b. Qu'est-ce qu'on peut voir ?

c. Vrai ou faux ? La fête des Lumières est un événement artistique très fréquenté. Justifie ta réponse.

d. Depuis quand la fête des Lumières à Lyon est-elle officielle ?

e. En 2017, quelle autre ville a également accueilli des œuvres exposées ensuite à Lyon pendant le festival ?

2. Connais-tu un événement artistique majeur dans ta ville, ta région ou ton pays ?

Dans ce numéro, Jade nous présente la fête des Lumières de Lyon.

LES ORIGINES DE LA FÊTE

La fête des Lumières est une fête religieuse, célébrant la Vierge Marie, à l'origine. La ville de Lyon a instauré officiellement cette fête en 1989, mais les traditions remontent en réalité à 1852 !

↑ Le théâtre des Célestins pendant la fête des Lumières de 2017.

↑ La place des Terreaux pendant la fête des Lumières de 2017.

Journaliste en herbe !

Écris un article pour présenter un événement artistique qui a lieu dans ta région. Illustre-le avec des photos ou des dessins.

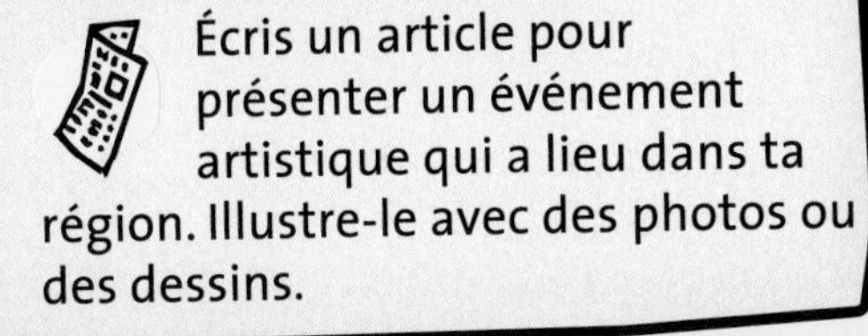

Lyon

→ Quel musée peut-on visiter dans le nouveau quartier de la Confluence ?
a. Le musée d'Art moderne
b. Le musée d'anthropologie
c. Le musée de la fête des Lumières

→ Qu'est-ce qu'une traboule ?

→ De quel moyen de transport le mot « tram » est-il l'abréviation ?

→ Associe ces lieux avec l'activité qu'on peut y faire.
a. Un bouchon lyonnais
b. Le parc de la Tête d'or
c. Le musée d'Art contemporain
d. Rue de la République

1. Se promener au bord du fleuve
2. Faire les magasins
3. Manger
4. Visiter une exposition

→ Vrai ou faux ? La braderie la plus célèbre en France est la braderie de Lyon.

→ Complète ces indications pour indiquer un itinéraire avec les mots suivants.

la rue	tout droit
à gauche	l'avenue

a. Continuer .....
b. Tourner .....
c. Traverser .....

La fête des Lumières

→ Vrai ou Faux ? La fête des Lumières à Lyon est le plus grand rassemblement festif au monde.

MON PROJET FINAL: **MON QUARTIER EN MAQUETTE**

VOUS ALLEZ CRÉER UNE MAQUETTE D'UN QUARTIER

1. Formez des groupes de trois ou quatre personnes.
2. Choisissez un quartier de votre ville que vous aimez bien.
3. À l'aide de différents matériaux (papier, carton, mousse, matériaux de recyclage, etc.), créez des maquettes des principaux bâtiments de ce quartier.
4. Présentez la maquette au reste de la classe, puis votez pour la plus belle maquette !

Alternative numérique
Dessinez une maquette en 3D de ce quartier grâce à un logiciel graphique.

DNL En classe d'histoire

Le château de Versailles

Le château de Versailles se trouve près de Paris et il est classé au patrimoine mondial de l'Unesco. Il a été la résidence des rois de France Louis XIV, Louis XV et Louis XVI.

A. Observe les photos des lieux symboliques du château et associe avec les étiquettes.

la cabanon de la reine   la galerie des Glaces

la galerie des Batailles   les jardins Le Nôtre

B. Lis ce texte sur Louis XIV et réponds aux questions.

Louis XIV (1638-1715)

Louis XIV, dit « le Roi-Soleil », devient roi à 5 ans, c'est donc sa mère Anne d'Autriche qui gouverne.

Le règne de Louis XIV commence en 1661 sous la forme d'une monarchie absolue de droit divin. Il veut tout diriger et tout contrôler. Il fait construire l'immense château de Versailles pour loger la famille royale et la cour : c'est l'image de la puissance de son règne.

1. En quelle année Louis XIV commence son règne personnel ?
2. Que signifie *monarchie absolue* ?
3. Quel autre nom utilise-t-on pour désigner Louis XIV ?
4. Qui vit au château de Versailles ?

C. Choisis un lieu historique de ta région ou de ton pays. Puis, fais des recherches et présente-le à la classe.

C'est la Cité de Carcassonne...

UNITÉ 8
Je me sens bien

↑ *À quoi ça sert de dormir ?*, Milan Presse et France Télévision (2015)

↑ Le pont Saint-Pierre, Toulouse

LEÇON 1

Je parle des parties du corps et des sensations physiques

- Les parties du corps
- **Avoir mal à**
- Les sensations physiques
- **Il faut** + infinitif

Mini-projet 1

Créer un programme pour être en forme au collège.

LEÇON 2

Je parle du stress et de comment le gérer

- Les ressentis négatifs
- **Pour** + infinitif
- Donner un conseil
- L'impératif négatif

Mini-projet 2

Donner des idées pour la journée de la bonne humeur.

LEÇON 3

Je parle de mes émotions

- Les émotions
- **Quand** + présent
- **C'est de** + infinitif

Mini-projet 3

Créer un nuage de mots du bonheur.

FENÊTRE SUR

Je découvre des activités dans la région toulousaine.

PROJET FINAL

CRÉER UNE VIDÉO AVEC DES CONSEILS POUR ÊTRE EN FORME

Salut! Je m'appelle Noé et j'habite à Toulouse. Dans cette unité, on va apprendre à prendre soin de nous-mêmes!

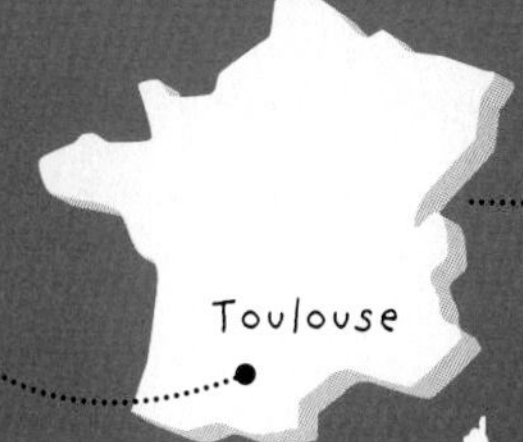

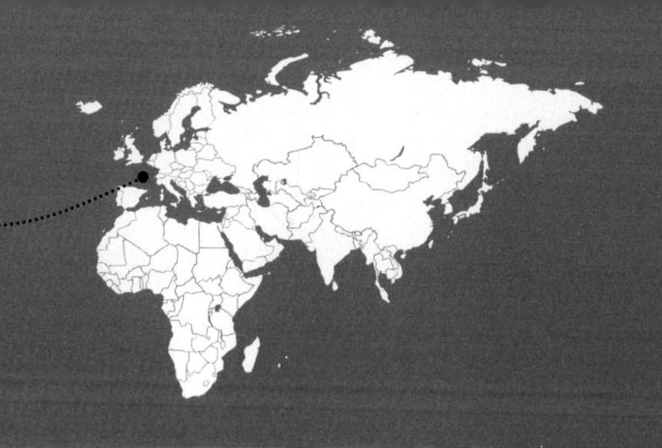

Noé
Regardez ! Je suis au stade ! Super match ! Je suis trop content ! 18:19

Tom
Quelle chance ! 18:19

Lily
Mais tu fais du rugby, Noé ?? 18:21

Noé
Ouiii ! J'adore, c'est ma passion ! 18:22

Lily
Moi c'est la danse. 18:24

Tom
Moi, je n'aime pas la danse... 18:25

Lily
C'est bon pour le corps et après le cours je me sens en pleine forme. 18:27

Tom
Eh ben moi, je ne fais pas de sport et je me sens très bien ! 18:31

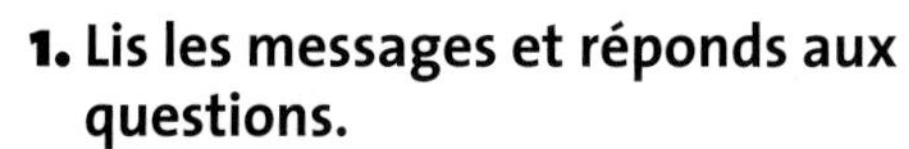

En route !

1. Lis les messages et réponds aux questions.

a. Où est Noé ? Qu'est-ce qu'il fait ?
b. Quel sport fait Noé ? Est-ce que tu l'as déjà pratiqué ?
c. Pourquoi Lily fait de la danse ?

2. Et toi, que fais-tu pour être en forme ?

3. Regarde la vidéo et réponds aux questions.

a. Comment s'appellent les deux phases du sommeil ?
b. Entoure les bonnes réponses. Le sommeil est bon pour...

les maladies — la santé — la créativité — la mémoire — la croissance

LE SAIS-TU ?

Le club de rugby de Toulouse a gagné 19 fois le championnat de France. Il est aussi quadruple champion d'Europe. Sa devise est « Jeu de mains, jeu de Toulousains ».

1. COMMENT TU TE SENS ?

A Regarde ces images. Où est-ce qu'ils ont mal ?

Hugo a mal au ventre.

B Pourquoi est-ce qu'ils ont mal ?
Associe ces phrases avec les photos de l'activité A.

il / elle passe trop de temps sur l'ordinateur

il / elle ne dort pas bien

il / elle mange trop de sucreries

son sac à dos est trop lourd

C Écoute ce dialogue chez le médecin et réponds aux questions.

Piste 46

1. Quel adolescent de l'activité A est chez le médecin ?
2. Comment il se sent ?
3. Où est-ce qu'il a mal ?
4. Que lui conseille le médecin ?

D Formez un cercle. Un premier élève dit où il a mal et mime. Son voisin répète la phrase et les mouvements, et continue sur le même modèle.

- J'ai mal à la tête !
- Antonio a mal à la tête, et moi, j'ai mal au bras.
- Antonio a mal à la tête, Ana a mal au bras et moi j'ai mal au pied.

LES PARTIES DU CORPS

La tête 

L'oreille 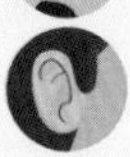

La bouche 

L'œil / les yeux 

Le nez 

Le dos 

L'épaule 

Le ventre 

Les bras 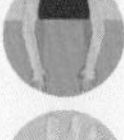

La main

Les jambes 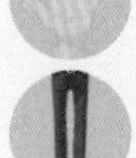

Le genou 

Les pieds 

→ p. 137

AVOIR MAL À

J'ai mal au dos.
J'ai mal à la tête.
J'ai mal à l'épaule.
J'ai mal aux yeux.

→ p. 134

LES SENSATIONS

Je suis malade.
Je me sens bien / mal / fatigué.
Tu (n')es (pas) en forme.
J'ai de la fièvre.

→ p. 137

2. DE BONNES HABITUDES

A **Observe cette infographie. Lis les conseils et associe-les aux illustrations.**

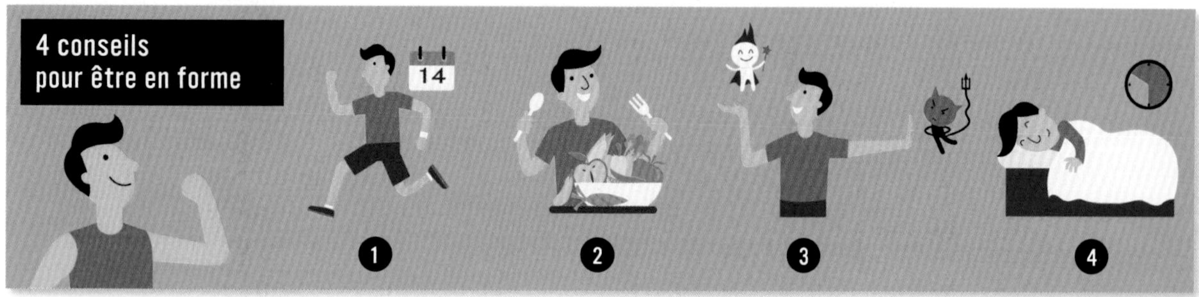

A MANGER SAINEMENT
Pour être en bonne santé, il faut manger varié et beaucoup de fruits et de légumes.

B ÊTRE ACTIF
Pour être en pleine forme, il faut pratiquer une activité physique régulièrement.

C BIEN DORMIR
Pour rester concentré et motivé pendant la journée, il ne faut pas se coucher trop tard.

D RESTER POSITIF
Pour avoir un esprit sain, il faut penser positif.

B **Complète le tableau avec les actions de l'infographie.**

bouger manger des aliments sains

être pessimiste s'endormir tard

Il faut	Il ne faut pas

IL FAUT + INFINITIF

Il faut penser positif.
Il ne faut pas se coucher tard.

→ p. 135

C **Quelles attitudes de cette infographie pratiques-tu dans ta vie quotidienne ?**

Moi, je mange beaucoup de fruits et de légumes.

D **À deux, ajoutez une idée pour chaque point de l'infographie de l'activité A.**

Il faut venir au collège à pied.

Il faut dormir 8 heures par nuit.

Il faut manger des légumes à la cantine.

MINI-PROJET 1 : ÊTRE EN FORME AU COLLÈGE

1. Vous allez créer un programme pour être en forme au collège. D'abord, formez des groupes et réfléchissez à des conseils.
2. Faites une mise en commun et élaborez le programme de la classe. Vous pouvez illustrer chaque conseil.

→ **Alternative numérique**
Présenter votre programme illustré à l'aide d'un logiciel en ligne.

3. STRESS D'ADOS

A Quatre adolescents parlent de ce qui les stresse au collège. Lis leurs messages et associe-les avec les conseils des internautes.

Qu'est-ce qui vous stresse le plus?

Clara

« Nous avons beaucoup de devoirs au collège et notre emploi du temps est très chargé. C'est stressant. »

Nathan

« Quand je reçois mon bulletin scolaire, j'ai peur de décevoir mes parents parce que parfois j'ai de mauvaises notes. »

Thomas

« Moi, avant les contrôles, je suis stressé et j'ai souvent mal au ventre. »

Sarah

« Quand je fais un exposé oral devant toute la classe, je suis stressée et je rougis. Ce n'est pas facile ! »

Réponses :

1. Pour être prêt et sûr de toi avant un exposé oral, tu peux répéter devant un miroir.
2. Respire bien fort et pense à autre chose ! Et révise tes leçons régulièrement pour être confiant.
3. Pour faire tous tes devoirs à temps, tu pourrais utiliser un agenda pour t'organiser.
4. Tu peux parler avec tes parents pour trouver une solution, par exemple, avoir un professeur particulier.

LES RESSENTIS NÉGATIFS

C'est stressant.
J'ai peur de...
Je suis stressé.
Ce n'est pas facile.

→ p. 136

POUR + INFINITIF

Tu peux parler avec tes parents pour trouver une solution.
Pour faire tous tes devoirs à temps, tu peux utiliser un agenda.

→ p. 135

B Voici des choses qui stressent les ados d'aujourd'hui. Et toi, ces choses te stressent toi aussi ?

les exposés oraux les notes

les contrôles les devoirs

DONNER UN CONSEIL

Tu peux répéter devant un miroir.
Tu pourrais utiliser un agenda pour t'organiser.
Pense à autre chose.

→ p. 135

C À deux, réfléchissez à d'autres conseils pour ces adolescents.

Avant un exposé, tu peux t'entraîner avec tes camarades.

4. JE PRENDS MON TEMPS

A Observe cette affiche pour la Journée internationale de la lenteur. Qu'est-ce qu'on conseille de faire et de ne pas faire ? Complète le tableau.

À faire	À ne pas faire
Respirer profondément	

LE SAIS-TU ?

La Journée internationale de la lenteur existe depuis 2001 et elle vient du Québec. Elle a lieu le 21 juin, parce que c'est le jour le plus long de l'année.

L'IMPÉRATIF NÉGATIF

NE + IMPÉRATIF + PAS
Ne mange pas trop le soir.

→ p. 134

B Est-ce qu'il y a des choses que tu fais trop vite ?

Moi, parfois, je cours pour prendre le bus le matin.

C Par deux, ajoutez deux conseils pour la journée de la lenteur, un conseil à l'impératif affirmatif et un conseil à l'impératif négatif.

D Est-ce qu'il y a un conseil de la Journée de la lenteur que tu aimerais suivre ?

MINI-PROJET 2 : LA JOURNÉE DE LA BONNE HUMEUR

1. Vous allez proposer des idées pour la Journée de la bonne humeur dans votre classe.
2. En groupes, réfléchissez à des actions, des attitudes pour être de bonne humeur.
3. Faites une mise en commun avec le reste de la classe et créez une affiche.

LA JOURNÉE DE LA BONNE HUMEUR
DITES BONJOUR À TOUT LE MONDE
PARLEZ AVEC DE NOUVEAUX CAMARADES
RACONTEZ UNE BLAGUE À VOTRE VOISIN.

→ Alternative numérique
Publiez vos idées sur le site du collège.

5. JE SUIS HEUREUX

A Observe les illustrations et dis si ces émotions sont positives ou négatives.

Le numéro 1 est une émotion positive.

LES ÉMOTIONS

Je suis content(e) / heureux / euse.
Je suis en colère / énervé(e).
Je suis fier / fière.
Je suis calme.
Je suis déçu(e).
Je suis triste.

→ p. 136

B Écoute ces phrases. Quelle émotion elles expriment ?

Piste 47

1. Il est *heureux.*
2. Il est .....
3. Il est .....
4. Il est .....

ASTUCE

Associer des mots avec des images peut t'aider à les retenir.

C Qu'est-ce que tu associe avec ces émotions ? Complète cette carte mentale puis compare avec ton camarade.

Je suis en colère quand j'ai de mauvaises notes.

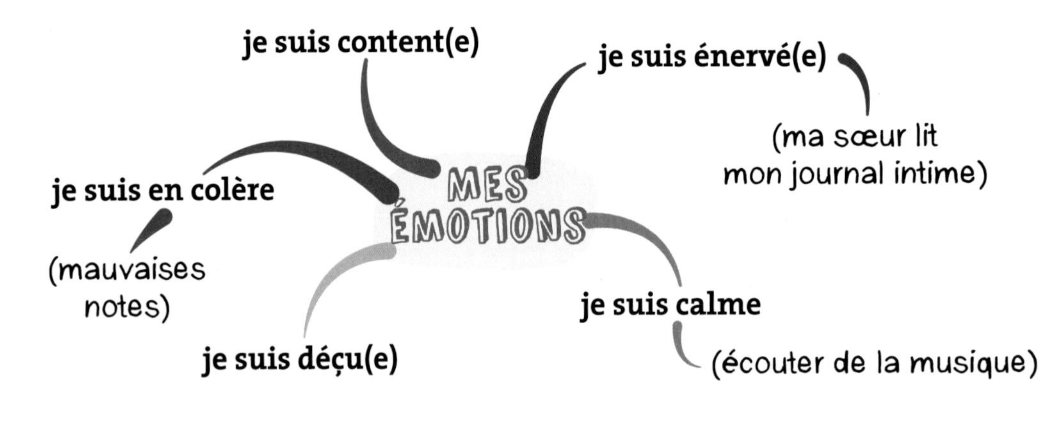

QUAND + PRÉSENT

Je suis en colère quand j'ai de mauvaises notes.
Je suis content quand je passe du temps avec mes amis.

→ p. 135

D Voici six émotions qui correspondent aux six faces d'un dé. Lancez le dé et prononcez cette phrase avec l'émotion correspondante.

1	2	3	4	5	6
déçu	calme	triste	heureux	énervé	fier

Je fais mes devoirs !

6. LE BONHEUR POUR MOI

A Lis l'affiche d'Amandine. Pour toi, c'est quoi le bonheur ? Fais ta propre liste.

LE SAIS-TU ?

Selon le classement du World Happiness Report 2018, les gens les plus heureux du monde vivent en Finlande, en Norvège et au Danemark.

B À deux, comparez votre liste. Puis expliquez à la classe ce qu'est le bonheur pour votre camarade.

Pour Daniel, le bonheur, c'est de manger des bonbons et de jouer aux jeux vidéo avec ses copains.

C'EST DE + INFINITIF

C'est de jouer avec mes amis.

C'est d'écouter la musique.

C À deux, faites une liste comme dans l'activité A pour « Le malheur pour nous, c'est... » Essayez d'être drôle !

Le malheur pour nous, c'est de vivre sans chocolat.

MINI-PROJET 3 : LE NUAGE DU BOHNEUR

1. Vous allez créer un nuage de mots qui représente pour vous tous le bonheur. Individuellement, pensez à un mot que vous associez au bonheur.
2. Faites une mise en commun et créez le nuage de mots de la classe. Écrivez en plus gros les mots qui se répètent.

→ Alternative numérique
Utilise une application pour créer ton nuage du bonheur.

A. *Avoir mal à*

Pour exprimer la douleur, on emploie l'expression : **avoir mal à**

Suivant le genre du nom qui suit, on aura :

Avoir mal à + le dos → J'ai mal au dos.

Avoir mal à + la jambe → J'ai mal à la jambe.

Avoir mal à + l'épaule → J'ai mal à l'épaule.

Avoir mal à + les genoux → J'ai mal aux genoux.

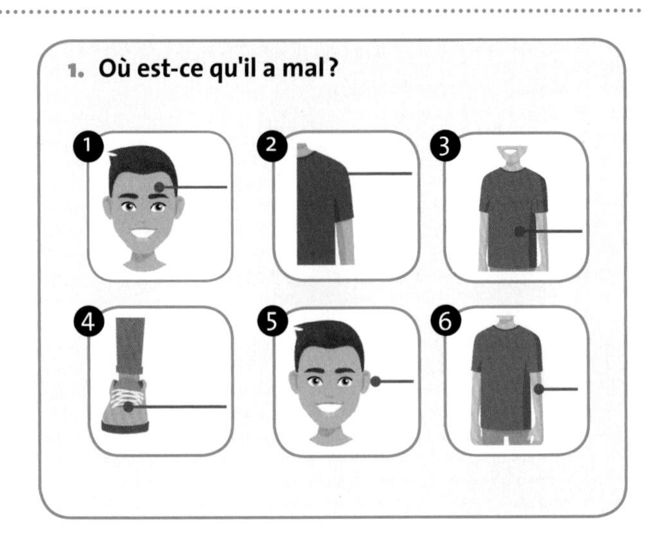

B. L'impératif

Pour former l'impératif, on prend la forme du verbe conjugué au présent de l'indicatif avec **tu** ou **vous** et on supprime le pronom personnel sujet.

PRÉSENT DE L'INDICATIF	*IMPÉRATIF*
Tu fais des exercices.	Fais des exercices.
Vous faites des exercices.	Faites des exercices.

! pour les verbes en **-er**, on supprime le **-s** à l'impératif avec **tu**.

PRÉSENT DE L'INDICATIF	*IMPÉRATIF*
Tu lèves les bras.	Lève les bras.
Vous levez les bras.	Levez les bras.

Pour former l'impératif négatif, on encadre le verbe conjugué à l'impératif par **ne** et **pas**.

Respire. → Ne respire pas.

Lève la jambe. → Ne lève pas la jambe.

Soufflez. → Ne soufflez pas.

Quand **ne** est suivi d'un mot commençant par une voyelle ou un -h muet → **n'**

Inspirez profondément. → N'inspirez pas profondément.

2. Transforme ces phrases à l'impératif affirmatif puis à l'impératif négatif.

a. Tu étires le dos. → Étire le dos. / N'étire pas le dos.
b. Tu allonges les jambes. →
c. Vous baissez la tête. →
d. Vous faites deux respirations. →
e. Tu cours pendant 30 minutes. →
f. Tu répètes les exercices. →

PHONÉTIQUE

Piste 48

3. Écoute et dis si la phrase exprime un ordre ou une suggestion.

	1	2	3	4	5
ORDRE					
SUGGESTION	x				

C. *Pour* + infinitif

• À la question **pourquoi**, on peut avoir deux réponses :

• **pour** + infinitif pour indiquer le but d'une action.

Pourquoi tu fais des fiches ?
Pour avoir de bonnes notes tout au long de l'année.

• **parce que** pour exprimer la cause

Pourquoi es-tu stressé/e ?
Parce que j'ai un examen demain matin.

4. Complète les phrases.

a. J'utilise un agenda .....
b. Il étudie beaucoup .....
c. Je pose des questions au professeur .....
d. Elles font du sport .....
e. Nous mangeons des aliments sains .....

D. *Il faut / Il ne faut pas*

On utilise **il faut** pour exprimer une nécessité ou une obligation générale ou personnelle. Le verbe qui suit est toujours à l'infinitif.

Il faut se lever tôt.

! À la forme négative, **il faut** exprime l'interdiction ou la défense.

Il ne faut pas se coucher tard.

5. Formule des obligations avec *il faut / il ne faut pas* pour les situations suivantes.

a. Manger sainement. →
b. Réussir ses examens. →
c. Être en forme. →
d. Avoir mal à la tête. →
e. Passer trop de temps sur son portable. →

E. Donner des conseils

On peut donner des conseils en exprimant une possibilité avec :

• **Tu peux** + infinitif

Tu peux demander des conseils à tes amis.

• **Tu pourrais** + infinitif

Tu pourrais apprendre par cœur ton texte avant ton exposé oral.

6. Associe les phrases avec les conseils.

a. J'ai des soucis sur Internet.
b. Je n'arrive pas à étudier.
c. Je n'ai pas le moral.
d. Je me sens fatigué/e.
e. J'ai mal au dos.

1. Tu peux te coucher plus tôt le soir.
2. Tu pourrais faire du sport.
3. Tu peux travailler avec des amis.
4. Tu pourrais demander à ton frère.
5. Tu peux sortir voir tes amis.

F. *Quand* + présent

Quand + présent exprime la simultanéité :

Je suis content quand je vois mes amis.
Je me lève quand le réveil sonne.

7. Complète les phrases.

a. Je me lève tôt quand .....
b. Je suis heureuse quand .....
c. Je suis triste quand .....
d. Je ris quand .....

A. Les parties du corps

1. Complète ces mots croisés avec les parties du corps.

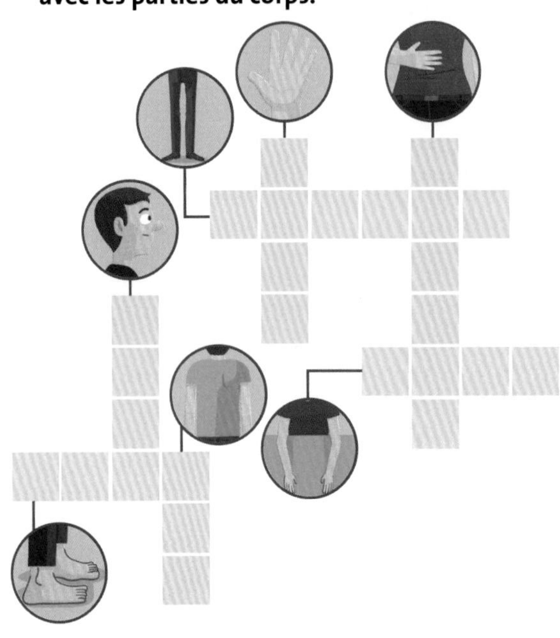

B. Les conseils

2. Donne des conseils pour ces thématiques en utilisant ces structures.

Il faut / Il ne faut pas

Tu pourrais   Tu peux

- Le sommeil
- La nourriture
- Les contrôles
- Les amis
- Le sport
- Les devoirs

C. Les émotions

3. Fais des phrases pour chacune de ces émotions.

Je suis content(e) quand...

Je suis énervé(e) quand...

Je suis fier/ère quand...

4. Crée ta carte mentale. Écris les mots que tu veux retenir de cette unité et ajoute des photos et des dessins.

Les ressentis négatifs

C'est stressant

J'ai peur de...

Je suis stressé(e)

Ce n'est pas facile

Les bonnes habitudes

Manger sainement

Être actif

Bien dormir

Rester positif

Exprimer des émotions

Je suis calme

Je suis content(e)

Je suis déçu(e)

Je suis en colère/ énervé(e)

Je suis triste

Je suis fier/ère

JE ME SENS BIEN

Les sensations physiques

Je me sens bien / mal / fatigué(e)

Je suis malade

Je (ne) suis (pas) en forme

J'ai de la fièvre

Activités pour gérer le stress

Respirer profondément

Lire un livre

Ne pas passer trop de temps sur son portable

Ne pas manger trop vite

Regarder passer les nuages

Les parties du corps

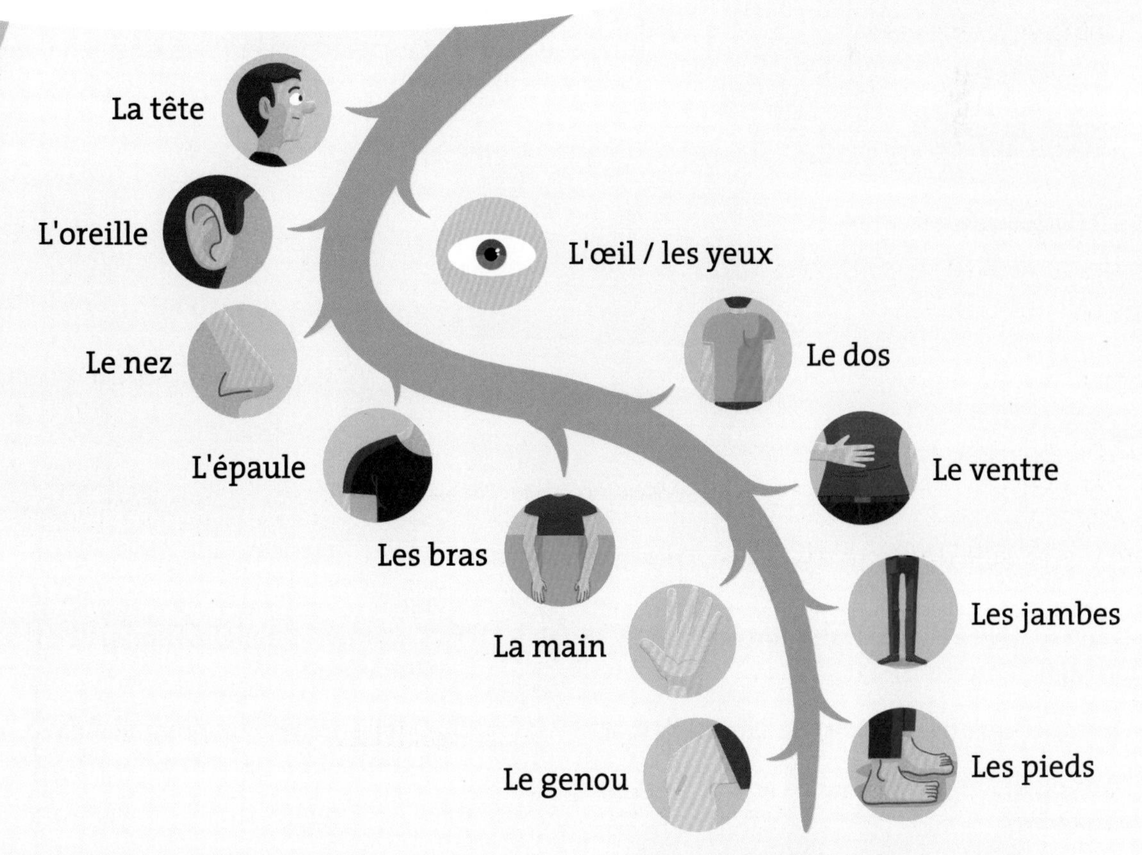

La tête

L'oreille

L'œil / les yeux

Le nez

Le dos

L'épaule

Le ventre

Les bras

Les jambes

La main

Le genou

Les pieds

BIENVENUE À TOULOUSE !

LE CANAL DU MIDI

J'aime bien aller me promener au bord du canal du Midi. C'est un canal qui relie Toulouse à la mer Méditerranée. C'est un super lieu, où on peut faire plein d'activités : des randonnées, de l'équitation, de l'escalade, du golf, du vélo et même des croisières en bateau.

Je vais souvent faire du vélo avec mes copains au bord du canal !

Le canal du Midi.

LA CITÉ DE L'ESPACE

La *Cité de l'espace* est un parc thématique consacré à l'espace et à la conquête spatiale. On peut voir des répliques grandeur nature de la fusée Ariane, du vaisseau Soyouz ou de la station spatiale Mir.

Il y a beaucoup d'expositions et il y a une salle de contrôle où on peut assister au décollage d'une fusée !

La Géode de la Cité de l'espace.

La réplique de la fusée Ariane.

La réplique de la station Mir.

1. **Quelle activité tu aimerais faire au bord du canal du Midi ? Pourquoi ?**
2. **Qu'est-ce qu'on peut voir à la Cité de l'espace ?**
3. **Dans quelle région de France le rugby est un sport populaire ?**
4. **Comment s'appelle l'équipe de rugby de Toulouse ?**
5. **Quelle activité tu aimerais faire à Toulouse, parmi celles qui sont présentées ici ? Pourquoi ?**

Dans ce numéro, Noé nous parle des activités qu'on peut faire à Toulouse.

LE RUGBY

Dans le Sud-Ouest de la France, le rugby est un sport très populaire !

Le stade Ernest Wallon.

L'équipe de rugby de Toulouse s'appelle le Stade toulousain. C'est l'une des meilleures équipes de France. Ils sont plusieurs fois champions de France (19) et champions d'Europe (4). On les appelle *Les Rouge et Noir* parce que ce sont les couleurs de leur maillot.

J'aime bien jouer au rugby parce qu'il y a un esprit d'équipe et beaucoup de respect entre les joueurs.

Une mêlée.

Journaliste en herbe !

À ton tour, écris un article pour présenter les activités qu'on peut faire dans ta région.

QUESTIONNAIRE CULTUREL

Teste tes connaissances !

Toulouse

→ Le canal du Midi relie la ville de Toulouse à :
a. L'océan Atlantique
b. La mer Méditerranée
c. L'océan Pacifique

→ Quel sport est populaire à Toulouse ?

→ Retrouve six activités que l'on peut faire au bord du canal du Midi.

U	K	B	V	S	R	N	Q	A	N
X	E	W	C	Ç	A	O	W	I	L
S	D	Q	R	R	N	I	O	W	Q
I	A	R	O	Q	D	T	N	A	Q
A	L	D	I	Y	O	A	L	N	Ç
B	A	M	S	U	N	T	G	L	I
B	C	A	I	E	N	I	O	R	O
K	S	U	E	R	E	U	L	T	L
A	E	W	R	G	E	Q	F	J	E
S	G	R	E	A	S	E	K	C	V

→ Quel est le surnom de l'équipe de Toulouse ?
a. Les bleus et les jaunes.
b. Les Rouge et Noir.
c. Les rouges et bleus.

→ Dans la salle de contrôle de la Cité de l'espace, on peut voir décoller :
a. Un avion
b. Une montgolfière
c. Une fusée

La Journée de la lenteur

→ Quel pays a organisé la Journée de la lenteur ? En quelle année ?

→ Pourquoi la Journée de la lenteur est le 21 juin ?

MON PROJET FINAL : **DES CONSEILS POUR ÊTRE EN FORME**

VOUS ALLEZ CRÉER UNE VIDÉO AVEC DES CONSEILS POUR ÊTRE EN FORME.

1. En petits groupes, réfléchissez à des conseils pour être en forme.
2. Mettez en commun vos idées avec celles des autres groupes et sélectionnez cinq conseils.
3. Répartissez les conseils entre les groupes pour préparer une vidéo par conseil : une personne lit le conseil, tandis que les autres peuvent le mettre en scène.
4. Regardez les vidéos en classe.
5. Mettez les vidéos ensemble pour en faire une seule. Pour cela, faites un montage (regroupez les vidéos par thématiques par exemple : sport, alimentation, etc.).
6. Pensez à faire une petite introduction pour décrire le contenu de votre vidéo.

Alternative numérique
Poster les vidéos sur le réseau social de la classe ou le site web de votre école.

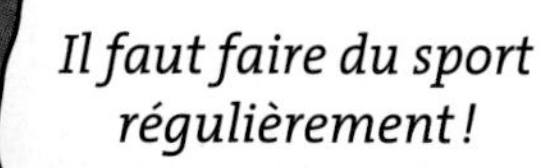

DNL En classe d'éducation civique

8

Le vote en France

A. Fais des recherches sur Internet pour répondre aux questions.

1. À partir de quel âge peut-on voter en France ? Et dans ton pays ?
2. Entoure le pays où le vote est obligatoire.

France   Belgique   Espagne   Italie   Danemark

B. Observe le document et dis si les affirmations sont vraies ou fausses. Puis, corrige les affirmations fausses.

Ministère de l'Intérieur.

1. Une école peut servir de bureau de vote.
2. Pour voter, il faut présenter la carte d'électeur.
3. L'électeur écrit le nom du candidat sur le bulletin de vote.
4. On dépose l'enveloppe avec le bulletin de vote dans une urne.
5. On peut voter pour plusieurs candidats.

C. Est-ce que tu as déjà voté pour quelque chose ?

D. Est-ce que tu sais comment on vote dans ton pays ? Est-ce que l'organisation est similaire à la France ? Fais des recherches.

L'ALPHABET PHONÉTIQUE

VOYELLES ORALES	
[i]	**vie** [vi]
[e]	**avez** [ave]
[ɛ]	**avec** [avɛk]
[a]	**la** [la]
[y]	**tu** [ty]
[ø]	**peu** [pø]
[ə]	**je** [ʒə]
[œ]	**heure** [œʁ]
[u]	**nous** [nu]
[o]	**trop** [tʁo]
[ɔ]	**alors** [alɔʁ]
[ɑ]	**pâtes** [pɑt]
VOYELLES NASALES	
[ɛ̃]	**pain** [pɛ̃]
[œ̃]	**un** [œ̃]
[ɔ̃]	**on** [ɔ̃]
[ɑ̃]	**blanc** [blɑ̃]
SEMI-CONSONNES	
[j]	**famille** [famij]
[w]	**quoi** [kwa]
[ɥ]	**suis** [sɥi]
CONSONNES ORALES	
[p]	**plein** [plɛ̃]
[b]	**beau** [bo]
[t]	**tête** [tɛt]
[d]	**donne** [dɔn]
[f]	**fille** [fij]
[v]	**vous** [vu]
[k]	**cou** [ku]
[g]	**gant** [gɑ̃]
[s]	**son** [sɔ̃]
[z]	**zéro** [zeʁo]
[ʃ]	**chat** [ʃa]
[ʒ]	**joue** [ʒu]
[ʁ]	**rue** [ʁy]
[l]	**ville** [vil]
CONSONNES NASALES	
[m]	**mer** [mɛʁ]
[n]	**non** [nɔ̃]
[ɲ]	**Espagne** [ɛspaɲ]
[ŋ]	**parking** [paʁkŋ]

Correspondance phonie-graphie

En français, un son peut s'écrire de plusieurs manières et une graphie peut se prononcer de plusieurs manières.

SONS VOYELLES	RÉALISATIONS GRAPHIQUES
[ɛ]	m**è**re [mɛʁ] / m**ê**me [mɛm] / f**ai**re [fɛʁ] / poign**et** [pwaɲɛ]
[e]	**é**tudi**er** [etydje] / l**es** [le] / ch**ez** [ʃe]
[o]	m**ot** [mo] / b**eau** [bo] / j**au**ne [ʒon]
[œ]	p**eu**r [pœʁ] / s**œu**r [sœʁ]
[ɛ̃]	**in**téressant [ɛ̃teʁesɑ̃] / **im**possible [ɛ̃posibl] / p**ain** [pɛ̃] / pl**ein** [plɛ̃] / bi**en** [bjɛ̃]
[ɑ̃]	dim**an**che [dimɑ̃ʃ] / v**en**t [vɑ̃] / f**aon** [fɑ̃]
[ɔ̃]	b**on**jour [bɔ̃ʒuʁ] / c**om**prendre [kɔ̃pʁɑ̃dʁ]
SONS CONSONNES	
[j]	bi**ll**e [bij] / pa**y**e [pɛj]
[p]	**p**ère [pɛʁ] / a**pp**rendre [apʁɑ̃dʁ]
[b]	**b**oire [bwaʁ] / A**bb**é [abe]
[t]	**t**ableau [tablo] / a**tt**endre [atɑ̃dʁ]
[d]	same**d**i [samdi] / a**dd**ition [aditjɔ̃]
[f]	**f**ort [fɔʁ] / a**ff**iche [afi ʃ] / **ph**oto [foto]
[k]	**c**rayon [crɛjɔ̃] / a**cc**rocher [akʁoʃe]/ **qu**el [kɛl] / **k**ilo [kilo]
[g]	**g**âteau [gɑto] / lan**gue** [lɑ̃g]
[s]	**s**on [sɔ̃] / commen**c**er [komɑ̃se] / fran**ç**ais [fʁɑ̃sɛ] / pa**ss**er [pase] / atten**t**ion [atɑ̃tjɔ̃]
[z]	sai**s**on [sesɔ̃] / **z**one [zon]
[ʒ]	**j**oli [ʒoli] / **g**éographie [ʒéogʁafi]
[ʁ]	ma**r**di [maʁdi] / a**rr**iver [aʁive]
[l]	**l**undi [lœ̃di] / a**ll**emand [almɑ̃]
[m]	a**m**ener [amne] / ho**mm**e [ɔm]
[n]	**n**ouveau [nuvo] / a**nn**ée [ane]

QUELQUES CONSEILS POUR PRONONCER LE FRANÇAIS

Les syllabes

Les mots et les phrases se découpent en syllabes. Les syllabes s'organisent autour des sons voyelles. La composition d'une syllabe peut être :

- un son voyelle → **eau** [o]
- un son consonne + un son voyelle → **cou** [ku]
- un son consonne + un son voyelle + un son consonne → **quelle** [kɛl]
- un son voyelle + plusieurs sons consonnes → **arbre** [aʁbʁ]
- plusieurs sons consonnes + un son voyelle → **train** [tʁɛ̃]

Les consonnes en position finale

Il existe de nombreux mots dont on ne prononce pas les dernières lettres.

grand [gʁɑ̃]
petit [pəti]

Le *e* en position finale

- En général, on ne prononce pas le **e** en fin de mot.
livre [livʁ]
table [tabl]

La liaison

La liaison consiste à faire entendre une consonne finale non prononcée dans la première syllabe du mot suivant.

LES LIAISONS OBLIGATOIRES

- Entre le déterminant et le nom : **les arbres** [lezaʁbʁ].
- Entre l'adjectif et le nom : **le dernier autobus** [lədɛʁnieʁotobys].
- Entre le pronom sujet et le verbe : **ils ont** [ilzɔ̃fini].
- Après **en**, **dans**, **chez**, **sans**, **sous** : **chez une amie** [ilabitʃezynami].
- Entre l'adverbe et adjectif : **très amusant** [sɛtʁɛzamuyzɑ̃].

LES LIAISONS INTERDITES

- Entre le sujet et le verbe (sauf pronom personnel sujet).
- Entre les mots interrogatifs et le verbe dans la plupart des cas : **quand**, **comment**, **combien de temps**.
- Après **et**.

Les accents

L'ACCENT AIGU (´)

Il se place seulement sur le **e**.
Dans ce cas, il faut le prononcer [e].

café [kafe]
musée [myze]
poésie [poezi]
mathématiques [matematik]

L'ACCENT GRAVE (`)

Il se place sur le **e**, le **a** et le **u**.
Sur le **a** et sur le **u**, il sert à distinguer un mot d'un autre :

- **a** (verbe **avoir**) / **à** (préposition)

Il a 12 ans. / Il habite à Toulouse.

- **la** (article défini) / **là** (adverbe de lieu)

La sœur de Cédric. / Il est là.

- **où** (pronom relatif et interrogatif) / **ou** (conjonction de coordination)

Tu habites où ? / Blanc ou noir.

Sur le **e**, il indique que cette voyelle est ouverte : [ɛ]

mère [mɛʁ]
mystère [mistɛʁ]

L'ACCENT CIRCONFLEXE (^)

Il se place sur toutes les voyelles sauf le **y**.

Comme l'accent grave, il sert à éviter la confusion entre certains mots :

sur (préposition) / **sûr** (adjectif)

Le livre est sur la table. / Tu es sûr de toi ?

Sur le **e**, il se prononce [ɛ] : **fête** [fɛt]

LE TRÉMA (¨)

Il se place sur les lettres **e** et **i** pour indiquer que la voyelle qui les précède doit être prononcée séparément.

canoë [kanoe]
égoïste [egoist]

LES NOMBRES

0	**zéro**	16	**seize**
1	**un**	17	**dix-sept**
2	**deux**	18	**dix-huit**
3	**trois**	19	**dix-neuf**
4	**quatre**	20	**vingt**
5	**cinq**	21	**vingt-et-un**
6	**six**	22	**vingt-deux**
7	**sept**	23	**vingt-trois**
8	**huit**	24	**vingt-quatre**
9	**neuf**	25	**vingt-cinq**
10	**dix**	26	**vingt-six**
11	**onze**	27	**vingt-sept**
12	**douze**	28	**vingt-huit**
13	**treize**	29	**vingt-neuf**
14	**quatorze**	30	**trente**
15	**quinze**	31	**trente-et-un**

LES DÉTERMINANTS

Les déterminants accompagnent le nom commun. Ils se placent toujours avant le nom. On choisit le déterminant en fonction de la situation de communication et de ce que l'on veut exprimer.

La maison de mon père est grande.
C'est un livre.

Les articles définis

	MASCULIN	FÉMININ
SINGULIER	le / l'	la / l'
PLURIEL	les	

On utilise les articles définis pour parler de quelqu'un ou de quelque chose :

• qui est déjà connu au moment où on parle :

Le chat de Patricia est très mignon. (= On sait déjà que Patricia a un chat.)

• qu'on présente comme une catégorie d'objets ou êtres vivants connus de tout le monde :

Le chat est un animal domestique. (= Le chat est un type d'être vivant.)

! Pour les noms commençant par une voyelle ou un **h** muet : **le / la** → **l'**.
L'arbre de Noël est joli.

Les articles indéfinis

	MASCULIN	FÉMININ
SINGULIER	un	une
PLURIEL	des	

On utilise les articles indéfinis pour parler de quelqu'un ou de quelque chose que notre interlocuteur ne connaît pas encore.
J'ai un nouveau copain, il est italien.

! Dans une phrase à la forme négative : **un**, **une**, **des** → **de**.

Les articles contractés

Les prépositions **à** et **de** suivies de **le** ou **les** s'amalgament aux articles définis pour former les articles contractés.

à + le	**= au**	*Je joue au tennis.*
à + la	**= à la**	*Je vais à la gym.*
à + les	**= aux**	*Ils aiment jouer aux échecs.*
de + le	**= du**	*Nous faisons du yoga.*
de + la	**= de la**	*Il fait de la danse.*
de + les	**= des**	*Elle vient des Pays-Bas.*

Les déterminants possessifs

On emploie les déterminants possessifs pour marquer un lien d'appartenance entre une ou plusieurs personnes ou choses.

Mes amis sont timides.

Ta ville est belle.

	SINGULIER		PLURIEL	
	Masculin	Féminin	Masculin	Féminin
je	mon père	ma mère	mes parents	
tu	ton cousin	ta cousine	tes enfants	
il / elle	son frère	sa sœur	ses grands-parents	
nous	notre oncle		nos oncles	
vous	votre tante		vos tantes	
ils / elles	leur grand-mère		leurs grands-mères	

! Devant un nom féminin commençant par une voyelle ou un **h** muet, **ma, ta, sa** → **mon, ton, son.**

Mon ami Afonso est portugais et mon amie Adriana est belge.

LE NOM COMMUN

Le nom commun désigne une personne, un animal ou une chose. Il a un genre : il est masculin ou féminin. Il peut varier en nombre : il peut être au singulier ou au pluriel.

Les collégiens mangent à la cantine.

Le genre des noms communs

Quand le nom désigne une personne ou un animal, il a généralement deux formes : le masculin et le féminin.

En général, on ajoute un **-e** au mot masculin pour former le féminin.

un ami (masculin), **une amie** (féminin).

Quand le nom désigne autre chose qu'une personne ou un animal, son genre est arbitraire.

Le printemps est ma saison préférée.

Les noms de profession

La forme des noms de profession dépend la plupart du temps du genre de la personne.

MASCULIN ♂	FÉMININ ♀
un mécanicien	une mécanicienne
un directeur	une directrice
un danseur	une danseuse
un ouvrier	une ouvrière
un employé	une employée
un journaliste	une journaliste

Le nombre des noms communs

Pour former le pluriel des noms communs, on ajoute généralement un **-s** au mot au singulier :

un chien → **des chiens**

une chienne → **des chiennes**

On n'ajoute pas de **-s** au pluriel aux noms communs qui se terminent par **-s**, **-x**, **-z** au masculin singulier : **un bras** → **des bras**, **une croix** → **des croix**, **un nez** → **des nez**.

La plupart des noms communs qui se terminent en **-au**, **-eau**, **-eu**, **-œu** prennent un **-x** pour former le pluriel : **un bureau** → **des bureaux**, **un jeu** → **des jeux**, **un vœu** → **des vœux**.

La plupart des noms communs qui se terminent en **-al** font leur masculin pluriel en **-aux** : **un cheval** → **des chevaux**.

! **un œil** → **des yeux**

LES ADJECTIFS

Les adjectifs donnent des informations, des précisions sur quelqu'un ou quelque chose. Ils s'accordent en genre et en nombre avec le mot qu'ils qualifient.

Je porte un pull bleu.

Le genre des adjectifs

Pour former le féminin, on ajoute généralement un **-e** à l'adjectif au masculin. Il existe cependant de très nombreuses exceptions à cette règle.

IL EST…	ELLE EST…
petit blond	petite blonde
timide	timide
rêveur	rêveuse
courageux	courageuse
sportif	sportive
manipulateur	manipulatrice

Le nombre des adjectifs

Pour former le pluriel de l'adjectif, on ajoute généralement un **-s** à l'adjectif au singulier.

ILS SONT…	ELLES SONT…
petits blonds	petites blondes
rêveurs	rêveuses
courageux	courageuses
sportifs	sportives
manipulateurs	manipulatrices

Au masculin

On n'ajoute pas de **-s** au pluriel aux adjectifs qui se terminent par un **-s** ou un **-x**. Le **-s** et le **-x** ne s'entendent pas à l'oral :

IL EST…	ILS SONT…
courageux	courageux

On ajoute un **-x** aux adjectifs qui se terminent en **-eau**. Le **-x** ne s'entend pas à l'oral.

IL EST…	ILS SONT…
beau	beaux

On ajoute **–aux** à la plupart des adjectifs qui se terminent en **–al**. Le **–x** ne s'entend pas à l'oral.

IL EST…	ILS SONT…
original	originaux

Les adjectifs de nationalité

La formation du féminin des adjectifs de nationalité entraine un changement de prononciation et d'orthographe, sauf quand l'adjectif se termine déjà par un **-e** au masculin.

IL EST…	ELLE EST…
allemand	allemande
français	française
marocain	marocaine
italien	italienne
suisse	suisse

Les adjectifs de couleur

Les adjectifs de couleur peuvent :

- S'accorder en genre et nombre avec le mot qu'ils qualifient : **jaune**, **vert**, **bleu**, **blanc**, **noir**, **rouge**, **violet**.

Ses yeux sont verts. / Sa jupe est verte.

- Être invariables : Les couleurs **marron** et **orange**, et les mots composés (**vert clair, bleu foncé**…) **sont invariables :**

Mes bottes sont marron.
J'adore les accessoires bleu foncé.

LES PRONOMS

Les pronoms personnels sujets

Les pronoms personnels sujets indiquent qui fait l'action.Ils sont inséparables du verbe conjugué, sauf à l'impératif.

Je parle français
Nous allons en France.

SINGULIER	1re personne	je
	2e personne	tu
	3e personne	il / elle /on
PLURIEL	1re personne	nous
	2e personne	vous
	3e personne	ils / elles

On = nous

On est un pronom indéfini. À l'oral, **nous** est souvent remplacé par **on**. Avec **on**, le verbe se conjugue à la troisième personne du singulier (comme pour **il** et **elle**).

- *Nous allons en Italie. Et vous ?*
- *Nous, on reste en France.*

Les pronoms toniques

À chaque pronom personnel sujet correspond un pronom tonique.

SINGULIER	je	moi
	tu	toi
	il / elle	lui / elle
PLURIEL	nous	nous
	vous	vous
	ils / elles	eux / elles

Les pronoms toniques renforcent le sujet et permettent de se démarquer :

Moi, j'ai 12 ans ; elle, elle a 13 ans.

LE VERBE

Le verbe conjugué est formé de deux parties : base + terminaison. La terminaison indique le mode, le temps et la personne auxquels on conjugue le verbe.

BASE	TERMINAISON
habit	e

L'infinitif est la forme non conjuguée du verbe (par exemple, **habiter**).

Quand la base d'un verbe est identique à toutes les personnes, le verbe est régulier ; quand un verbe a plusieurs bases, il est irrégulier.

On classe traditionnellement les verbes en trois groupes :

- Les verbes en **-er** comme **manger** forment le premier groupe
- En général, les verbes en **-ir** comme *finir* forment le deuxième groupe.
- Tous les autres verbes forment le troisième groupe.

Le présent de l'indicatif

Le présent de l'indicatif permet d'évoquer :

- Le moment où on parle :

- *Qu'est-ce que tu fais ?*
- *Je regarde une série.*

- Une habitude :

Toutes les semaines, je fais du sport.

- Une situation d'actualité au moment où on parle : *Lisa est une élève de ma classe, elle est très gentille.*
- Une vérité générale : *La Terre tourne autour du Soleil.*
- Un futur très proche, en lien avec le moment présent :

J'arrive tout de suite !
Ce soir, je vais à mon cours de karaté.

La négation

- Pour former une phrase négative : Sujet + **ne** + verbe + **pas**

Nous ne parlons pas italien.

! **ne** → **n'** devant une voyelle ou un **h** muet.

Non, je n'habite pas à Marseille, j'habite à Lyon.

Le verbe *avoir*

On emploie le verbe **avoir** pour dire l'âge :

J'ai 14 ans, il a 13 ans et elle a 12 ans.

Pour demander l'âge de quelqu'un :

Quel âge tu as ? Quel âge il a ?

Le verbe *être*

On emploie **être** pour dire :

- Sa nationalité :

Je suis française et ils sont espagnols.

- Sa profession :

Il est infirmier et elle est danseuse.

Le verbe *aller*

Aller à + un nom de lieu indique un déplacement vers une destination :

Je vais au collège tous les jours.

Je vais en France.

Les verbes *faire* et *jouer*

On emploie les verbes **faire** et **jouer** pour parler du sport ou de l'activité qu'on pratique.

• **Faire de** + article défini + nom (le sport ou l'activité) :

Il fait du badmington. Elles font du théâtre.

• **Jouer à** + le sport de balle et de ballon ou le jeu :

Ils jouent à la pétanque.
Je joue au basket.
Nous jouons aux échecs.

• **Jouer de** + l'instrument de musique :

Je joue du tambour et des castagnettes.

Le verbe pouvoir

Pour indiquer une possibilité, on utilise **pouvoir**.

Tu peux aller au musée.
Nous pouvons prendre le bus.

L'impératif

L'impératif sert à donner des instructions ou des ordres. Pour former l'impératif, on prend la forme du verbe conjugué au présent de l'indicatif et on supprime le pronom personnel sujet.

PRÉSENT DE L'INDICATIF	IMPÉRATIF
Tu fais des exercices.	*Fais des exercices.*
Vous faites des exercices.	*Faites des exercices.*

! Attention, pour les verbes en **-er**, on supprime le **-s** à l'impératif avec **tu**.

PRÉSENT DE L'INDICATIF	IMPÉRATIF
Tu lèves les bras.	*Lève les bras.*
Vous levez les bras.	*Levez les bras.*

L'impératif négatif

Pour former l'impératif négatif, on encadre le verbe conjugué à l'impératif par **ne** et **pas**.

Respirez. → *Ne respirez pas.*

Lève la jambe. → *Ne lève pas la jambe.*

Rappel : Quand **ne** est suivi d'un mot commençant par une voyelle ou un **h** muet → **n'**.

Arrose les plantes. → *N'arrose pas les plantes.*

Les verbes pronominaux

Les verbes pronominaux sont des verbes qui se conjuguent avec un pronom de la même personne que le sujet.

SINGULIER	1re personne	me
	2e personne	te
	3e personne	se
PLURIEL	1re personne	nous
	2e personne	vous
	3e personne	se

Le verbe **se laver** est un verbe pronominal :

Je	me lave
Tu	te laves
Il / Elle	se lave
Nous	nous lavons
Vous	vous lavez
Ils / Elles	se lavent

Autres verbes pronominaux : **s'appeler**, **se doucher**, **se lever**, **se coiffer**, **s'habiller**.

C'EST / IL EST

Pour présenter ou désigner quelqu'un : **C'est**

Pour caractériser une personne : **Il / Elle est**

C'est Patricia, elle est française.

Mon nouveau copain a 14 ans, il est canadien.

IL Y A / IL N'Y A PAS (DE)

Il y a indique la présence de quelqu'un ou de quelque chose. **Il n'y a pas (de)** indique l'absence de quelqu'un ou de quelque chose :

Dans mon collège, il y a une grande salle de sports, mais il n'y a pas de piscine.

LES PRÉPOSITIONS

Les prépositions sont des mots invariables qui permettent de réunir deux mots.

Préposition pour les noms de pays

Les prépositions **en, au, aux**, **à** permettent d'indiquer le pays ou la ville où on est.

• On utilise **en** + nom de pays qui se termine par **-e** ou qui commence par une voyelle :

Tu habites en Russie ou en Italie ?

! Quelques exceptions : au **Mozambique**, au **Mexique**.

• On utilise **au** + nom de pays masculin qui commence par une consonne ou qui se termine par une autre voyelle que **-e**.

Il habite au Brésil. / Il est au Canada.

• On utilise **aux** + nom de pays au pluriel :

Il habite aux Pays-Bas.

• On utilise **à** + nom de ville :

Ils habitent à Lisbonne.

Préposition pour les moyens de transport

En et **à** + moyen de transport

• **À** + moyen de transport ouvert : vélo, moto, scooter...

Je vais à l'école à vélo.

• **En** + moyen de transport fermé : train, voiture, avion, métro, bateau, bus, tram...

Je vais au concert en train.

Situer dans l'espace

Pour situer dans l'espace, on emploie des mots invariables isolés ou qui se construisent avec la préposition **de** :

dans	à côté de
derrière ≠ devant	en face de
sur ≠ sous	proche de / près de ≠ loin de

Le collège est près de la médiathèque.

Le stylo est sur la table.

Avoir mal à

Pour exprimer la douleur, on utilise l'expression : **avoir mal à**. Suivant le genre et le nombre du nom qui suit, on aura :

J'ai mal à la jambe.

J'ai mal au dos.

Nous avons mal à l'épaule.

Vous avez mal aux genoux

LA PHRASE INTERROGATIVE

Poser une question globale ou fermée (on répond par oui ou non) :

• *Tu aimes les séries ? = Est-ce que tu aimes les séries ?*

◦ *Oui, j'adore ça.*

Poser une question partielle ou ouverte sur :

• l'objet : **qu'est-ce que**

• *Qu'est-ce qu'il fait ?*

◦ *Il fait ses devoirs.*

• la manière : **comment**

• *Comment est ton père ?*

◦ *Il est blond et il a les yeux verts.*

• la cause : **pourquoi**

• *Pourquoi tu étudies le français ?*

◦ *Parce que j'aime les langues.*

• la quantité : **combien**

• *Combien ça coûte ?*

◦ *Ça coute 10 euros.*

L'interrogation avec *quel(s) / quelle(s)*

Quel(s) / quelle(s) permet de demander des informations, des précisions sur un nom.

	MASCULIN	FÉMININ
SINGULIER	quel	quelle
PLURIEL	quels	quelles

Il existe deux constructions possibles :

- **Quel(s) / quelle(s)** + nom

Quelles matières tu as le matin ?

- **Quel(s) / quelle(s)** + **être** + groupe nominal

Quel est ton jour préféré ?

! L'orthographe est différente mais la prononciation est identique : **quel** / **quelle** / **quels** / **quelles** → [kɛl]

LES ADVERBES D'INTENSITÉ

Pour indiquer le degré d'intensité d'un adjectif qualificatif, on utilise :

pas du tout **un peu** **assez** **très** **trop**

0	1	2	3	4	5	6	7	8	9	10

Elle est assez bavarde.

Elle n'est pas du tout bavarde.

COMMUNIQUER

Tu et *vous*

On emploie **tu** ou **vous** pour adresser directement la parole à une personne.

	RELATION	AVEC QUI
TU	proche	la famille, les amis, les camarades de classe, les jeunes de ton âge...
VOUS	distante	les personnes inconnues, un médecin, un professeur...

Les connecteurs chronologiques

Pour indiquer un ordre chronologique dans la réalisation d'un fait, on utilise :

(Tout) d'abord
Ensuite / Puis
Enfin

D'abord, il se lève, ensuite il se lave, puis il s'habille et enfin il va à l'école.

Parler des dates

Pour dire sa date de naissance : **Mon / Ton... anniversaire est le** + le jour.
Mon / Ton anniversaire est le 13 octobre.

Pour situer les dates dans un mois, on utilise **en** :
Mon anniversaire, c'est en octobre.
Le carnaval, c'est en février.

Indiquer l'heure

Pour indiquer l'heure : **Il est** + nombre + heure(s)

! **Il est** ne s'accorde pas en nombre.

Il est une heure. / Il est deux heures.

09:00 Il est neuf heures.
09:15 Il est neuf heures et quart.
09:20 Il est neuf heures vingt.
09:30 Il est neuf heures et demie.
09:40 Il est dix heures moins vingt.
09:45 Il est dix heures moins le quart.
09:50 Il est dix heures moins dix.

HEURE PRÉCISE	**à**	*Je me couche à 21 h 15.*
HEURE APPROXIMATIVE	**vers**	*Je dîne vers 19 h.*
INTERVALLE DE TEMPS	**de... à...**	*Je vais au collège de 8 h 30 à 16 h.*

Pour connaître le nombre d'heures :
- *Combien d'heures par semaine tu fais du sport ?*
- *Trois heures par semaine.*

Exprimer ses goûts : *aimer, adorer, détester*

Détester, **aimer** et **adorer** sont des verbes réguliers du premier groupe.

- **Détester / Aimer (bien) / Adorer** + nom

J'adore les animaux, j'aime surtout les chats, mais je déteste les araignées !

- **Détester / Aimer (bien) / Adorer** + verbe

J'adore nager, j'aime bien marcher, mais je déteste courir !

Moi aussi, Moi non plus, Moi si, Moi non / Pas moi

Pour dire qu'on pense ou qu'on fait comme son interlocuteur :

- Quand la phrase est à la forme affirmative → **Moi aussi**.

• ⊕ *J'aime regarder les chevaux.*
◦ ⊕ *Moi aussi.*

- Quand la phrase est à la forme négative → **Moi non plus**.

• ⊖ *Je n'aime pas faire du ski.*
◦ ⊖ *Moi non plus.*

Pour dire qu'on ne pense pas ou qu'on ne fait pas comme son interlocuteur :

- Quand la phrase est à la forme affirmative → **Moi pas / non**.

• ⊕ *J'aime aller à la plage.*
◦ ⊖ *Moi pas / non.*

- Quand la phrase est à la forme négative → **Moi si**.

• ⊖ *Je n'aime pas lire.*
◦ ⊕ *Moi si.*

Exprimer la cause

Parce que indique la cause d'un fait.

Je suis stressé parce que j'ai un examen à passer.

Exprimer le but

Pour + infinitif indique le but d'une action.

Je parle avec mes parents pour trouver une solution.

Exprimer la simultanéité

Quand + présent exprime la simultanéité.

Je suis content quand je vois mes amis.

Je me lève quand le réveil sonne.

Donner des conseils

On peut donner des conseils en exprimant une nécessité avec :

- **Il faut** + infinitif

Il faut manger sainement.

On peut donner des conseils en exprimant une possibilité avec :

- **Tu peux** + infinitif

Tu peux utiliser un agenda.

- **Tu pourrais** + infinitif

Tu pourrais répéter avant.

Verbes *être* et *avoir*

	PRÉSENT DE L'INDICATIF		IMPÉRATIF
AVOIR	J'	ai	
	Tu	as	aie
	Il / Elle / On	a	
	Nous	avons	ayons
	Vous	avez	ayez
	Ils / Elles	ont	
ÊTRE	Je	suis	
	Tu	es	sois
	Il / Elle / On	est	
	Nous	sommes	soyons
	Vous	êtes	soyez
	Ils / Elles	sont	

Verbes en *-er*

PARLER	Je	parle	
	Tu	parles	parle
	Il / Elle / On	parle	
	Nous	parlons	parlons
	Vous	parlez	parlez
	Ils / Elles	parlent	

! Les formes **parle**, **parles** et **parlent** se prononcent [paʁl].

JOUER	Je	joue	
	Tu	joues	joue
	Il / Elle / On	joue	
	Nous	jouons	jouons
	Vous	jouez	jouez
	Ils / Elles	jouent	

! Les formes **joue**, **joues** et **jouent** se prononcent [ʒu].

AIMER	J'	aime	
	Tu	aimes	aime
	Il / Elle / On	aime	
	Nous	aimons	aimons
	Vous	aimez	aimez
	Ils / Elles	aiment	

Formes particulières

	PRÉSENT DE L'INDICATIF		IMPÉRATIF
AVOIR	J'	ai	
	Tu	as	aie
	Il / Elle / On	a	
	Nous	avons	ayons
	Vous	avez	ayez
	Ils / Elles	ont	
ÊTRE	Je	suis	
	Tu	es	sois
	Il / Elle / On	est	
	Nous	sommes	soyons
	Vous	êtes	soyez
	Ils / Elles	sont	

S'APPELER	Je	m'appelle
	Tu	t'appelles
	Il / Elle / On	s'appelle
	Nous	nous appelons
	Vous	vous appelez
	Ils / Elles	s'appellent

PRÉFÉRER	Je	préfère	
	Tu	préfères	préfère
	Il / Elle / On	préfère	
	Nous	préférons	préférons
	Vous	préférez	préférez
	Ils / Elles	préfèrent	

! Les formes **préfère**, **préfères** et **préfèrent** se prononcent [pʁefɛʁ].

ACHETER	J'	achète	
	Tu	achètes	achète
	Il / Elle / On	achète	
	Nous	achetons	achetons
	Vous	achetez	achetez
	Ils / Elles	achètent	

! Les formes **achète**, **achètes** et **achètent** se prononcent [aʃɛt].

ALLER	Je	vais	
	Tu	vas	va
	Il / Elle / On	va	
	Nous	allons	allons
	Vous	allez	allez
	Ils / Elles	vont	

Formes particulières

VOULOIR	Je	veux	**!** À part **veuillez**, dans des lettres très formelles, l'impératif de **vouloir** n'est pas utilisé.
	Tu	veux	
	Il / Elle / On	veut	
	Nous	voulons	
	Vous	voulez	
	Ils / Elles	veulent	
POUVOIR	Je	peux	**!** L'impératif de **pouvoir** n'est pas utilisé.
	Tu	peux	
	Il / Elle / On	peut	
	Nous	pouvons	
	Vous	pouvez	
	Ils / Elles	peuvent	

Verbes en *-endre*

PRENDRE	Je	prends	
	Tu	prends	prends
	Il / Elle / On	prend	
	Nous	prenons	prenons
	Vous	prenez	prenez
	Ils / Elles	prennent	

! Tous les verbes en **-prendre** se conjuguent sur ce modèle.

Verbes en *-ire*

ÉCRIRE	J'	écris	
	Tu	écris	écris
	Il / Elle / On	écrit	
	Nous	écrivons	écrivons
	Vous	écrivez	écrivez
	Ils / Elles	écrivent	
LIRE	Je	lis	
	Tu	lis	lis
	Il / Elle / On	lit	
	Nous	lisons	lisons
	Vous	lisez	lisez
	Ils / Elles	lisent	
DIRE	Je	dis	
	Tu	dis	dis
	Il / Elle / On	dit	
	Nous	disons	disons
	Vous	dites	dites
	Ils / Elles	disent	

Verbes en *-ir*

SORTIR	Je	sors	
	Tu	sors	sors
	Il / Elle / On	sort	
	Nous	sortons	sortons
	Vous	sortez	sortez
	Ils / Elles	sortent	

! Le verbe **sortir** se conjugue sur ce modèle.

Verbes en *-tre*

METTRE	Je	mets	
	Tu	mets	mets
	Il / Elle / On	met	
	Nous	mettons	mettons
	Vous	mettez	mettez
	Ils / Elles	mettent	

Verbes en *-re*

FAIRE	Je	fais	
	Tu	fais	fais
	Il / Elle / On	fait	
	Nous	faisons	faisons
	Vous	faites	faites
	Ils / Elles	font	

UNITÉ 0

Piste 1 (activité 1A)

1.
- Malo, au tableau.
- Oui, monsieur.

2.
Alors, j'ai tout : mon livre, mon cahier, ma trousse... C'est bon !

3.
- Monsieur, pour le cours de dessin, il faut quoi ?
- Un crayon et une règle.

4.
Bonjour, installez-vous à vos bureaux.

UNITÉ 1

Piste 2 (activité 1A)

A.
- Bonjour ! Comment ça va ? Moi, je m'appelle Louise. Comment tu t'appelles ?
- Moi, je m'appelle Malo.

B.
- Salut ! Moi, c'est Max. Et vous ?
- Salut ! Moi, je m'appelle Mélissa, et voici Malo.

C.
- Coucou Max ! Ça va ?
- Salut, Paul ! Ça va et toi ?
- Super !

D.
- Allez, salut les gars ! À plus !
- Ciao Louise, à bientôt !

Piste 3 (activité 2A et 2B)

zéro, un, deux, trois, quatre, cinq, six, sept, huit,
neuf, dix, onze, douze, treize, quatorze, quinze, seize.

Piste 4 (activité 2C)

- Bonjour ! Je fais une enquête sur les adolescents parisiens. Tu t'appelles comment et tu as quel âge ?
- Moi, je m'appelle Louise et j'ai 12 ans.
- 12 ans. Très bien, et vous ? Vous avez aussi 12 ans ?
- Non, moi c'est Yanis, j'ai 14 ans.
- Et moi, je m'appelle Chloé, j'ai 13 ans !
- Moi c'est Lola, 11 ans.
- Et Axel, oui, il a 12 ans comme moi.
- Merci. Et...

Piste 5 (activité 3A et 3B)

A comme Amour - B comme Baguette - C comme Croissant -
D comme Déjà-vu - E comme Élève - F comme France - G comme Garage -
H comme Hôtel - I comme Imagination - J comme Jambe -
K comme Karim Benzema - L comme Louane - M comme Menu -
N comme Napoléon - O comme Omelette - P comme Peluche -
Q comme Question - R comme Rendez-vous - S comme Stade de France -
T comme Tour - U comme Université - V comme Victoire -
W comme Wagon - X comme Xavier Dolan - Y comme Yaourt -
Z comme Zinédine Zidane

Piste 6 (activité 4A)

[o] : restaurant, photo, beau
[e] : les, vidéo
[y] : super
[ɛ] : seize, français, complète, être
[u] : douze
[Ø] : neuf
[õ] : prénom, bon
[ã] : France, comment
[ɛ̃] : plein, quinze, américain, rien, un

Piste 7 (activité 4C)

tour - veut - non - tu - chaise - élève - treize - étudiant - groupe

Piste 8 (activité 4D)

1. livre
2. trousse
3. bureau
4. cours
5. tableau
6. stylo

Piste 9 (activité 5B)

1. Écoute
2. Regarde
3. Lis
4. Répète
5. Écris
6. Associe

Piste 10 (activité 5C)

1. Ça s'écrit F, R, A, N, C, E.
2. Ça se prononce « Salut ».
3. Bien sûr ! Comment tu t'appelles ?
4. En français, on dit « merci ».

Piste 11 (Phonétique, 1)

a. Je m'appelle Christophe.
b. Nous nous appelons Mélanie et Justine.
c. Vous vous appelez comment ?
d. Tu t'appelles Marc, c'est ça ?

Piste 12 (Grammaire, 5)

a. Ça va ?
b. Ça va.
c. Ça va.
d. Ça va.
e. Ça va ?

Piste 13 (Grammaire, 7)

a.
- Comment allez-vous aujourd'hui ?
- Beaucoup mieux, docteur, je vous remercie.

b.
Je suis très content de te revoir, mon grand.
Comment tu vas ?

c.
- Voilà pour vous.
- Merci. Au revoir et bonne journée.

Piste 14 (Phonétique, 8)

a. coucou
b. salut
c. À plus
d. douze
e. Manu
f. nous

UNITÉ 2

Piste 15 (activité 1B)

1. Son nom est Bertin et elle a 13 ans.
2. Il est français et il habite à Nantes !
3. Elle a 12 ans et elle est française.
4. Il habite à Saint-Louis et il a 14 ans.

Piste 16 (activité 3)

dix-sept	vingt-deux	vingt-sept
dix-huit	vingt-trois	vingt-huit
dix-neuf	vingt-quatre	vingt-neuf
vingt	vingt-cinq	trente
vingt-et-un	vingt-six	trente-et-un

Piste 17 (activité 3A)

- Salut Soraya !
- ○ Salut Malo ! Ça va ?
- Oui ça va très bien ! Regarde, j'ai une nouvelle application pour mémoriser les dates d'anniversaire de tous mes amis ! C'est très pratique ! Est-ce que tu peux m'aider ? Quel est le jour de ton anniversaire ?
- ○ C'est le 9 décembre !
- Ok, super ! Et Rémi ? C'est quand son anniversaire ?
- ○ Euh... C'est le 15 février !
- Et Charlotte ?
- ○ Son anniversaire, c'est le 18 juin !
- Evan, son anniversaire, c'est en novembre...
- ○ Oui, le 29 !
- Et Zoé en juillet, je crois...
- ○ Ah oui, Zoé, c'est le 2 juillet !
- 2 juillet, super ! J'ai noté ! Merci !

Piste 18 (activité 3D)

Joyeux anniversaire,
joyeux anniversaire,
joyeux anniversaire Malo,
joyeaux anniversaire.

Piste 19 (activité 4A)

- Ma fête préférée, c'est la fête de la musique parce qu'il y a des concerts gratuits dans toute la ville ! Et toi ?
- ○ Moi, c'est la Saint-Valentin, le 14 février, c'est le jour des amoureux, c'est romantique ! Et toi Malo, quelle est ta fête préférée ?
- ▪ Pour moi, c'est la Fête nationale, avec les feux d'artifice et les défilés militaires !
- ▶ Le 14 juillet ?
- ▪ Oui ! C'est férié en plus !
- ▶ Ah non ! Moi, j'adore Noël parce qu'on a beaucoup de cadeaux ! Et c'est aussi férié !

Piste 20 (Phonétique, 6)

1. le chien
2. les chiens
3. le lapin
4. les lapins
5. les singes
6. le singe

Piste 21 (Phonétique, 7)

1. Les animaux
2. Les oiseaux
3. Les chevaux
4. Les iguanes
5. Les éléphants
6. Les chats

Piste 22 (Ma carte mentale, 4)

1. trente
2. vingt-huit
3. vingt-et-un
4. seize
5. cinq

UNITÉ 3

Piste 23 (activité 2B)

- Agathe, tu vas où en vacances cet été ?
- ○ Je vais voir Léa, elle habite à Paris maintenant, et toi ?
- Moi, je vais peut-être avec mes parents à New York et je vais peut-être rendre visite à Camille !
- ○ Oh la chance ! Moi je rêve d'aller voir Jade et Mathilde !
- Elles habitent où maintenant ?
- ○ Mathilde habite à Barcelone pour deux ans et Jade à Istanbul.
- C'est génial ces copains voyageurs ! Tu voudrais habiter où, toi ?
- ○ Moi je rêve d'aller habiter à San José au Costa Rica ! Et toi ?
- Moi à Sydney, comme Marcel, mon meilleur ami.
- ○ Oui, l'Australie c'est sympa...

Piste 24 (activité 6A)

Salut, moi c'est Charlotte. J'adore le piano et écouter de la musique. Côté sport, je n'aime pas du tout le foot mais je suis fan de skateboard, je vais au skate parc tous les mardis et jeudis avec mes copains. Le week-end, j'adore aller au cinéma et cuisiner ! Je cuisine souvent des pâtisseries comme des gâteaux et des biscuits, ma spécialité, ce sont les cookies au chocolat blanc, j'adore !

Piste 25 (Phonétique, 7)

a. chinoise
b. irlandais
c. mexicain
d. canadienne
e. française
f. marocaine
g. italien
h. portugais

UNITÉ 4

Piste 26 (activité 1B)

- J'adore cette photo ! C'est ta famille ?
- ○ Oui, elle est sympa. Nous sommes dans la maison de mes grands-parents.
- Et ça c'est tes parents ?
- ○ Oui, ils sont divorcés mais ils s'entendent bien !
- C'est cool.
- ○ Oui, ils sont profs d'anglais. Mon père a une nouvelle femme qui s'appelle Natasha, elle est bien sympathique ! Mais elle n'est pas sur la photo.
- Et lui, c'est ton frère.
- ○ Oui, c'est Louis, mon grand frère, il a 17 ans. À côté de lui, c'est Ethan, mon demi-frère, il a 2 ans.
- Il est mignon... Et la fille blonde ?
- ○ C'est Emma, ma sœur. Elle a 15 ans, puis je l'adore !

Piste 27 (activité 4B)

- Julie, tu connais la chanteuse québécoise Cœur de Pirate ?
- ○ Non, je ne la connais pas !
- Elle fait du rock et elle a un super style ! J'adore sa manière de s'habiller. Regarde ! J'ai trouvé des photos d'elle sur Internet !
- ○ Ah oui ! Ici, elle a une robe rose ! Ça lui va bien ! J'adore cette robe ! Toi, Enzo, laquelle tu préfères ?
- Moi, je préfère cette photo, regarde, elle a un pantalon blanc et une veste noire, c'est très élégant !
- ○ Ah non, je n'aime pas. J'adore aussi la photo où on voit tous ses tatouages ! Tu vois, elle porte une robe bleue, et son sac bleu est très joli aussi !

Piste 28 (Phonétique, 2)

a. [ɛ̃] comme dans cousin : parrain, chien, indépendant
b. [ɔ̃] comme dans mon : ton, son, oncle, marron
c. [ɑ̃] comme dans parents : enfants, blanc, manteau

UNITÉ 5

Piste 29 (activité 3B)

- Alors Mélissa, ce premier jour ? Tu es en quelle classe ?
- 6ᵉ D. Je ne suis pas dans la classe d'Anaïs !
- Oh ce n'est pas très grave ! Tu vas la voir pendant les récrés. Tu aimes bien ton emploi du temps ? Quel est ton jour préféré ?
- Mon emploi du temps est super ! Le mercredi, c'est le meilleur jour !
- Ah oui ? Tu as quelles matières le mercredi matin ?
- J'ai d'abord français à 8h15, ma matière préférée ! Et j'ai technologie à 9h15 et enfin deux heures d'histoire-géo... avec Anaïs je crois !
- Maman : Et toute l'après-midi du mercredi, tu es avec Anaïs en cours de théâtre ! C'est pas si mal !
- Oui, c'est sûr !
- Et le sport alors, c'est quels jours ?
- Le mardi de 13h45 à 15h40 et le jeudi de 8h15 à 10h10... Oh, je déteste le sport !

Piste 30 (activité 4C)

- Coucou Enzo, alors, ce premier jour de classe au collège ?
- Coucou Mélissa, c'est super, j'adore le collège !
- Tu es en quelle classe ? Moi, je suis en 6ᵉ C. Je ne suis pas avec Anaïs, je suis trop triste.
- Moi je suis en 6ᵉ D, avec Léo, Mateo, Vincent... tous mes meilleurs copains ! Je suis trop content !
- Et ton collège est grand ? Moi, il n'est pas trop grand mais ça va, j'ai un casier, donc je peux laisser mes livres.
- Ah. Dans mon collège, il n'y a pas de casiers, je suis fatigué de prendre tous mes livres avec moi ! Mais bon, il y a un beau jardin, une grande cour de récré, un gymnase pour les cours de sport, un self... et surtout un CDI trop cool !
- Trop de chance ! Dans mon collège, il n'y a pas de gymnase et ni de jardin... Et il y a une piscine ? Dans mon collège non...
- Oui, dans mon collège il y a une piscine aussi !

Piste 31 (Phonétique, 8)

a. Tu habites aux États-Unis ?
b. Il étudie les arts plastiques.
c. Il aime faire des achats.

UNITÉ 6

Piste 32 (activité 1A)

1. (douche)
2. (coq)
3. (café)
4. (ronflements)
5. (cantine)
6. (match de football)
7. (plage)

Piste 33 (activité 2A)

- Alors, Paul, qu'est-ce que tu fais tous les jours avant d'aller à l'école ?
- Salut ! Bah, moi, comme tout le monde, le matin je me réveille et me lève vite pour aller sous la douche me laver ! Quand je suis propre, je m'habille dans ma chambre, je fais mon lit et mon sac. Après je retourne dans la salle de bain, je me coiffe et je vais à la cuisine retrouver mon frère et ma sœur pour le petit déjeuner. Quand j'ai fini, je pars promener mon chien 5 minutes dans le quartier, puis je reviens à la maison, je me brosse les dents... parfois je surfe sur Internet.... Et vers 7h50, je sors de la maison et je vais prendre mon bus pour aller au collège !

Piste 34 (activité 4A)

- Quelle est ta journée préférée, Paul ?
- Mmm, c'est le mardi je pense.
- Pourquoi ?
- Parce qu'après le collège, j'ai plein d'activités.
- Ah, bon ? Qu'est-ce que tu fais ?
- Je fais du karaté et je joue de la guitare aussi.
- À quelle heure tu finis le collège ?
- Je finis les cours à 16h30.
- Et après tu vas au cours de karaté ?
- Oui, j'ai cours de 17h à 18h. Et après, je prends vite le bus pour aller jouer de la guitare avec des copains, on joue de 18h30 à 19h30.
- Ensuite, mon père passe me prendre en voiture et on rentre à la maison diner.
- Très bien. Et vous dinez à quelle heure à la maison ?
- Vers 20h.

Piste 35 (activité 5A et 5B)

- Salut Jade, tu es libre ce week-end pour venir au cinéma avec moi ?
- Ce week-end, impossible, je vais skier.
- Ah, super ! Tu fais du ski souvent ?
- Oui, en hiver très souvent. Deux week-ends par mois, ou même trois !
- Moi, je ne fais presque jamais du ski.
- Tu n'aimes pas ?
- Pas trop, je préfère les sports nautiques, j'adore le surf. En été, je vais tous les week-ends faire du surf. C'est pratique, on a la plage à côté.
- Oui, c'est vrai.
- Mais en hiver, les week-ends, je préfère rester au lit tranquillement pour envoyer des messages à mes copains ! Et après je promène mon chien. Je fais ça presque tous les week-ends en fait. Et bon, parfois je joue au foot le dimanche matin.
- Oui, moi aussi je dors longtemps et j'envoie des messages à mes amis, quand je ne vais pas au ski...
- Et ça ne te dit pas le surf ?
- Bof... Non, je préfère la montagne. En été, je fais des randonnées, de temps en temps, avec mes parents. Mais écoute, on peut aller au cinéma ce soir, ou regarder une série chez moi. Je regarde tout le temps des séries.
- Moi aussi, presque tous les soirs. Ok, super ! Mais quelle série ?

Piste 36 (activité 6B et 6C)

- Clara, ce samedi il y a plein d'activités à Bordeaux, tu as vu ?
- Oui je sais, c'est super ! Je pense aller faire l'atelier cannelés, tu veux venir ?
- Heu la cuisine, je n'aime pas trop ça, je préfère aller à l'atelier graffiti à l'espace Darwin !
- C'est de quelle heure à quelle heure déjà ?
- De 11h à 13h, tu viens ?
- Bah non, mon atelier cuisine se termine à 12h30.
- Ah, ça te dit de se retrouver pour le pique-nique au parc bordelais ?
- Oui, sui super idée ! On s'y retrouve vers 13h ?
- Pas de problème ! Et après, on va faire de la voile ?
- De la voile ? Tu rêves ! Je déteste l'eau !
- Ah, moi, je vais peut-être essayer. Et tu penses aller au concert le soir ?
- Concert de qui ?
- Odezenne à 19h30 sur les quais ! Moi j'y vais avec Arthur et Yannis.
- Pourquoi pas ! J'aime bien ce groupe en plus ! Je vais dire à Margaux et Léa si elles veulent venir !
- Bonne idée ! On se redit alors !
- Super, ciao !
- Bye !

Piste 37 (activité 7A et 7B)

1.
- Marc, tu veux aller voir *La guerre des étoiles* au cinéma ?
- Aller au cinéma ? Bof, non merci.

2.
- Julie, ça te dit d'aller voir tes grands-parents ? Ça fait longtemps que nous ne sommes pas allés chez eux.
- ○ Ah oui bonne idée, on peut y aller dimanche ?

3.
- Samedi, on peut aller à la piscine.
- ○ Très bonne idée !

4.
- J'aimerais aller voir l'exposition sur l'art tribal au Jardin des plantes. Tu veux venir avec moi ? Après on peut aller manger une pâtisserie au Café des rêves.
- ○ Oui, génial !

Piste 38 (Phonétique, 3)

a. prennent
b. prend
c. sort
d. sortent
e. lis
f. lisent
g. dort

Piste 39 (DNL)

1. (batterie)
2. (maracas)
3. (piano)
4. (saxophone)
5. (trompette)
6. (violon)

UNITÉ 7

Piste 40 (activité 2A)

- Maman ! Émilie arrive vendredi, c'est super ! On va la chercher à la gare à 18h, d'accord ?
- ○ Ah oui, c'est vrai, ta cousine arrive ! On peut faire plein de choses ce week-end. Qu'est-ce qu'elle aime faire ?
- Elle adore le sport, on peut aller au parc de la Tête d'or pour courir, par exemple. Et aussi on peut aller faire les magasins rue de la Ré' ou à Confluence !
- ○ Et pourquoi pas une activité un peu plus culturelle aussi ? Aller voir une exposition au musée, aller à la bibliothèque...
- Mais je n'aime pas les musées... J'ai une idée : on peut aller à Mini World, le parc d'attractions avec des miniatures. On peut voir la ville en tout petit : l'hôtel de ville, la gare, le parc... et aussi les bus, les voitures, les trains et même les personnes ! Il paraît que c'est super.
- ○ Oui, ça, c'est une bonne idée. Et le soir, on peut aller manger à L'Est, le restaurant de Paul Bocuse, dans l'ancienne gare des Brotteaux.
- Génial, oui ! Émilie et moi, on adore aller au restaurant. Merci, maman !

Piste 41 (activité 3B)

- Tu es où Line ? Je suis à l'arrêt de métro Vieux Lyon.
- ○ Je suis tout près, j'arrive !
- Mais tu es où exactement ?
- ○ Je suis au palais Saint-Jean, juste derrière l'avenue Adolphe-Max.
- OK, on va à Confluence après ?
- ○ Ça marche ! On y va à pied ?
- Non, je préfère aller en tram !

Piste 42 à 44 (activité 8A-8B)

1.
- Bonjour ! En quoi je peux vous aider ?
- ○ Bonjour, monsieur ! J'aime beaucoup ce pull, vous l'avez en bleu ?
- Oui, bien sûr. Voilà.
- ○ Super ! Je peux l'essayer ?
- Oui bien sûr !

2.
- Madame, vous avez cette robe en jaune ?
- ○ Oui, bien sûr. Quelle taille vous faites ?
- Je fais du 36 ou du 38, ça dépend des marques.

3.
- J'adore ce sac, combien il coûte, monsieur ?
- ○ Il coûte 38 euros.
- C'est un peu cher.
- ○ Je vous le laisse pour 30 euros, si vous voulez.
- Parfait, merci beaucoup !

Piste 45 (Phonétique, 7)

1. Nous prenons un thé. – Prenons un thé !
2. Fais tes exercices ! – Tu fais tes exercices.
3. Tu dis la vérité. – Dis la vérité !
4. Vous prenez à gauche. – Prenez à gauche !

UNITÉ 8

Piste 46 (activité 1C)

- Bonjour, Adam.
- ○ Bonjour, docteur.
- Alors, pourquoi tu viens me voir aujourd'hui. Qu'est-ce qui ne va pas ?
- ○ Je ne suis pas en forme, je me sens fatigué.
- Tu as mal où ?
- ○ J'ai mal à la tête.
- Assieds-toi. On va voir ça. Effectivement, tu as de la fièvre. Est-ce que tu as mal à la gorge ?
- ○ Non, ça va.
- Bon, tu as une grippe.
- ○ Qu'est-ce que je dois faire ?
- Tu ne vas pas aller au collège pendant deux ou trois jours et rester à la maison pour te reposer.
- ○ D'accord. Merci, docteur.

Piste 47 (activité 5B)

1. Je me lève tôt pour aller au collège. (heureux)
2. Je me lève tôt pour aller au collège. (en colère)
3. Je me lève tôt pour aller au collège. (déçu)
4. Je me lève tôt pour aller au collège. (calme)

Piste 48 (Phonétique, 3)

1. Couche-toi !
2. Révise avant l'examen.
3. Prends ton manteau !
4. Tourne à droite !
5. Ne passe pas ton temps devant la télévision.

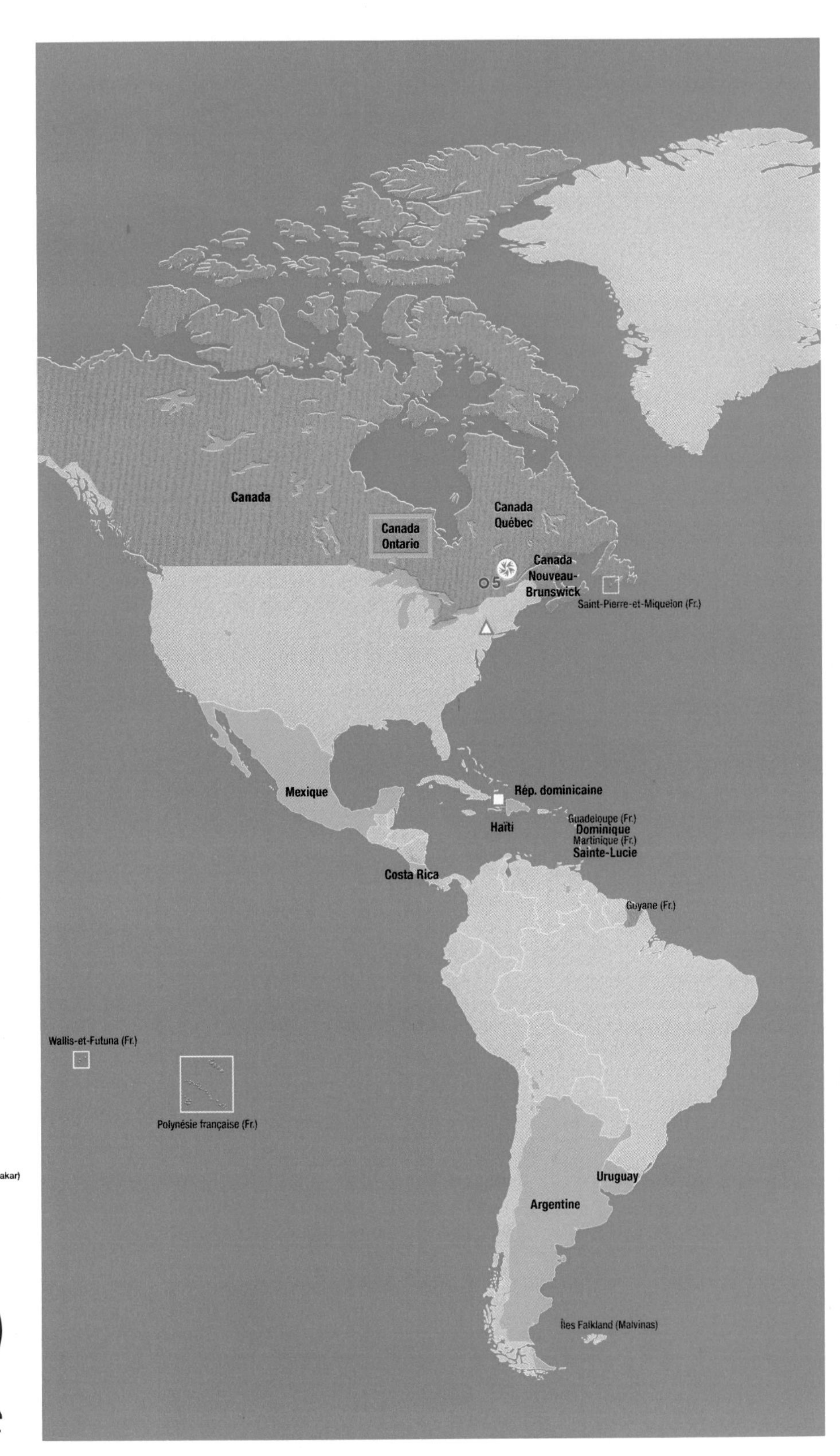

Organisation internationale de la Francophonie (siège, Paris)
- Représentations permanentes (Addis-Abeba, Bruxelles, Genève, New York)
- Bureaux régionaux (Antananarivo, Bucarest, Hanoï, Libreville, Lomé, Port-au-Prince)
- Institut de la Francophonie pour le développement durable (IFDD, Québec)
- Institut de la Francophonie pour l'éducation et la formation (IFEF, Dakar)

54 États et gouvernements membres de l'OIF
4 États et gouvernements membres associés
26 États et gouvernements observateurs

Assemblée parlementaire de la Francophonie (APF, Paris)
Agence universitaire de la Francophonie (AUF)
- Rectorat et siège (Montréal)
- Rectorat et services centraux (Paris)

5 TVMONDE (Paris) 5 TV5 Québec Canada (Montréal)
Université Senghor (Alexandrie)
Association internationale des maires francophones (AIMF, Paris)
Conférence des ministres de l'Éducation de la Francophonie (Confémen, Dakar)
Conférence des ministres de la Jeunesse et des Sports de la Francophonie (Conféjes, Dakar)

Estonie
Lettonie
Lituanie
1. Croatie
2. Bosnie-Herzégovine
3. Monténégro
4. Kosovo
5. Ex-république yougoslave de Macédoine
Pologne
Féd. Wallonie-Bruxelles
Belgique
Rép. tchèque
Luxembourg
Slovaquie
Ukraine
Autriche
Hongrie
Moldavie
Suisse
France
Slovénie
Roumanie
Serbie
Monaco
Bulgarie
Andorre
Albanie
Grèce
Géorgie
Arménie
Maroc
Tunisie
Chypre
Liban
Égypte
Qatar
Émirats arabes unis
République de Corée
Vietnam
Laos
Thaïlande
Cambodge
Cap-Vert
Mauritanie
Mali
Niger
Tchad
Sénégal
Guinée-Bissau
Guinée
Burkina Faso
Bénin
Togo
Côte d'Ivoire
Ghana
Djibouti
Rép. centrafricaine
Cameroun
Guinée équatoriale
São Tomé-et-Principe
Gabon
Congo
Rép. dém. du Congo
Rwanda
Burundi
Seychelles
Comores
Mayotte (Fr.)
Mozambique
Madagascar
Maurice
Réunion (Fr.)
Vanuatu
Nouvelle-Calédonie (Fr.)

CARTE ADMINISTRATIVE DE LA FRANCE

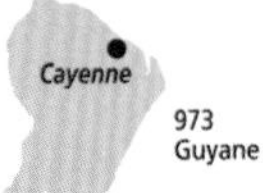

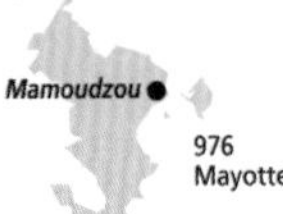

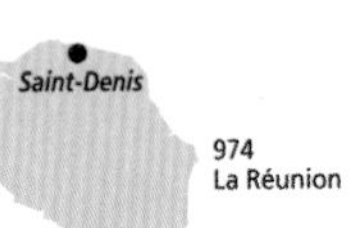